イッキにわかる！
国際情勢

もし世界が193人の
学校だったら

著者・島崎晋　監修・村山秀太郎

二見書房

はじめに

国家を人に、国際社会を
人間社会にたとえたら、いったい、
何が見えてくるのだろう──

　世界では紛争や国家の軋轢摩擦、迫害や差別など、見るに堪えない出来事が毎日のように起きています。メディアやSNSを通じて、私たちの耳や目にそれらの情報は入ってきますが、どの程度、心情的に理解できているでしょうか？

　たとえば、振り幅の大きな国民感情、過剰なまでの民族意識。あるいは、理解の範疇を超える宗教への思い、国家の指導者の思惑──。これらを情報としてキャッチできても、"心をもって"理解できないのは、知性や理性が過剰な心の働きを抑え込んでいるからかもしれません。

　しかし、当事者の心情を理解できないのでは、物事の表面しか見ていないことになります。それでは、知らぬうちに加害者に、あるいは被害者となりかねない危険性があります。

　世界で起きていることを情報としてのみとらえるのではなく、心情的に理解するためにどうしたらいいのか？　その解として、「国家を人に、国際社会を人間社会にたとえてはどうだろう？」

　そう考えスタートしたのが本書でした。

●

　具体的には、国際社会を学校にたとえ、「世界学校」と名付けました。そこには、193名（193＝国際連合加盟国の数）の「正式な生徒」がいます。

「正式」としたのは、世界には独立を求めながらかなえられずにいる民族、それなりの実効支配地を持つ武装勢力や過激派集団もおり、彼らをも含めて国際社会が成り立っているからです。本書では彼らの存在を「正式な生徒ではないが、世界学校に身を寄せる者」として扱いました。

　また、リアルな学校では席替えはよくありますが、国土と国民を持つ国家は移動できません。ゆえに「世界学校」では、隣にどんなに嫌いな生徒が座っていても、席替えはできないとしました。乱暴な生徒が隣にいても、嫌でも付き合っていかねばならないのが「世界学校」なのです。

　この「世界学校」には、さまざまな生徒がいます。

　学力も腕力もある傲慢な生徒もいれば、頭の回転が速く立ち回りも上手で狡猾な生徒もいます。

　平気で人の物を盗み暴力も振るう問題児もいれば、高い理念を掲げながらも現実とのギャップに苦しむ生徒、自分を成長させたいと願いながら思うようにならず苦悩する生徒もいます。

　また、複数の生徒からなるチームもあります。そこには親分子分の関係が生まれ、時には支配的な生徒が他の生徒に暴力を振るうこともあります。さらに、「世界学校」に身を寄せる者のなかには、有力な生徒を憎みテロを仕掛ける者もいます。

　そんな生徒たちに話し合いをうながし、話し合いで決まったことをあと押しするのが国連先生です。

　問題を起こす当事者には、悪いことをしている自覚のない生徒もいます。単なる暴力事件かと思ったら、被害者のほうに非がある場合もあるので、国連先生には性急な判断や処罰に走ることなく、事の真偽をしっかりと確かめる役目も期待されます。

　しかし、国連先生は自分の指導力に限界を感じています。「世界学校」では、生徒も国連先生も曲がり角に差し掛かっているのです。

●

　ところで、国家と国際社会を人と人間社会にたとえてみると、

何が見えてくるのでしょうか。

　考えられるもののひとつに、「国家のエゴ」があります。それは生身の人間とは比較にならない激しいエゴであり、時に暴走し、世界を壊しかねないほど強大です。

　だから国家、あるいは民族などのエゴを理解し、時にその暴走を止めるためにも、世界での出来事を情報としてのみならず、少しでも当事者の心情として理解することが私たちには求められます。

　本書では「世界学校」という形で、国際社会が新たな段階に入った1989年（冷戦の終結）から、ロシアのウクライナ侵攻で国際社会の秩序が揺らぐ2022年までを、わかりやすくひも解いていきます。

　皆さんが世界情勢の理解を深めるために、そして世界情勢のこれからを見通すために――本書がその一助になれば幸いです。

2022年11月　　　　　　　　　　　　　　　　　　　島崎晋

国連本部(写真：Getty Images)

イッキにわかる! 国際情勢
もし世界が193人の学校だったら
CONTENTS

第3章 2013—2022年

行き詰まる既存勢力、台頭する新勢力
曲がり角を迎えた世界学校の秩序 …………114

●本文図解：長久雅行　●本文イラスト：いしいあきひと

「世界学校」とは？

・193名（国際連合加盟国数）の正式な生徒による生徒会（国際連合）があり、そこで生徒たちが決めたことを、国連先生が中心となって実行する

・正式な生徒以外にも、"正式な生徒として認められたくとも認められていない者"が、学校に身を寄せている

・世界学校には（地政学的な理由から）席替えがないため、隣席の生徒は永久に変わらない

・蘇聯邦（ソ連）、欧羅巴連合（EU）、中国（回鶻や西蔵などを支配）ほか、チームを組んで活動する生徒たちがいる

世界学校のクラス分け

欧州クラス
露西亜
英吉利
仏蘭西
独逸 ほか

アジアクラス
日本
中国
北朝鮮 ほか

北米クラス
亜米利加 ほか

中東クラス
伊拉久
叙利亜 ほか

大洋州クラス
濠太剌利 ほか

アフリカクラス
突尼斯
埃及 ほか

中南米クラス
墨西哥 ほか

外務省のホームページを参考にしたクラス分け

長きにわたる「冷たい戦
世界学校に一強時代が

◎ 1989−1999年の世界の主な出来事

1989年
6月●中国で天安門事件
　　（二次）が起きる
11月●ベルリンの壁崩壊
12月●米ソ首脳、冷戦の
　　　終結を宣言

1991年
1月●湾岸戦争が勃発
6月●ユーゴスラビア内戦始まる
8月●エストニア、ラトビアがソ連
　　から分離独立を宣言
12月●ソ連邦解体、独立国家共
　　　同体創設

1993年
9月●パレスチナ暫定自
　　治協定締結
11月●欧州連合（EU）
　　　が正式に設立

1990年
8月●イラクがクウェート
　　に侵攻
10月●東西ドイツが統一

1992年
1〜2月●鄧小平の南巡講話
12月●インドでムスリムとヒン
　　　ドゥー教徒が衝突

1994年
7月●北朝鮮主席金日成が
　　死去、金正日が継承

◎第1章の主な登場人物

●国連先生
世界学校の悩み多き校長先生。193名の正式な
生徒の意見をまとめ、彼らへの指導にあたる

●露西亜（ロシア）くん
かつての蘇聯邦の強面リーダー。今では落ちこ
ぼれだが、復活の野望に身を燃やしている

●独逸（ドイツ）さん
欧州クラスの優等生。仏蘭西くんとの大喧嘩の
過去を乗り越え、彼とともに欧羅巴連合を結成

●英吉利（イギリス）くん
口がうまい、世界学校切っての知略家。以色列
くんと巴勒斯坦くんの因縁に深く関わっている

●亜米利加（アメリカ）くん
蘇聯邦との冷戦に勝った世界学校の一強ボス。
傲慢な仕切り屋だが、ある悩みを抱えている

●伊拉久（イラク）くん
中東クラスの問題児。隣席の科威都（クウェート）くんに暴力
を振るい、厳しい教育的指導を受けることに

●仏蘭西（フランス）くん
独逸さんに並ぶ欧州クラスの優等生。やたらと
圧が強い亜米利加くんをけむたく思っている

●以色列（イスラエル）くん
因縁がある巴勒斯坦くんとは極めて仲が悪い。
世界学校での居場所を失う過去を持つ

ソ連邦崩壊、民族紛争、中東危機、グローバル化、

争」が終わり
到来した

ベルリンの壁の崩壊（写真：Getty Images）

1995年
3月●日本で地下鉄サリン事件
8月●NATOがセルビア軍を空爆
11月●ボスニア・ヘルツェゴヴィナ
　　　和平合意調印

1997年
7月●イギリスが中国に
　　　香港を返還
12月●京都議定書採択

1999年
12月●エリツィンがロシア
　　　大統領辞任表明

1996年
3月●台湾で初の直接総統選挙、
　　　李登輝再任。第三次台湾海
　　　峡危機（1995年7月～）

1998年
5月●インドとパキスタンが
　　　ともに核実験

●中国くん
台湾くんの兄弟。最近、勉強にスポーツにとメキメキ頭角を現し、亜米利加くんと張り合いがち

●印度くん
元は「非暴力主義」だった巴基斯坦くん、中国くんとの喧嘩を理由に"究極の武器"を手にする

● 蘇聯邦
露西亜くんを中心に15名の生徒からなる。亜米利加くんと世界学校の覇権を争うが崩壊するハメに

● 欧羅巴連合
亜米利加くんに対抗するために、独逸さんと仏蘭西くんを中心に結成。全員の学力アップを目指す

●台湾くん
中国くんの兄弟だが陣営的には亜米利加くんの仲間。張り合う2人に挟まれ立場が難しい

●巴勒斯坦くん
英吉利くんに翻弄され、以色列くんと因縁を抱える。なお、世界学校の正式な生徒ではない

● 南斯拉夫
6人の生徒からなる人間関係が複雑なチーム。チーム解散後は悲惨な喧嘩を繰り広げることに

●究極の武器
世界学校を崩壊、生徒全員を死に至らしかねない武器。かつて亜米利加くんが日本くんに使った

中国の台頭……世界は新たなステップに踏み出した

亜米利加(アメリカ) vs 蘇聯邦(チームソ連)——
世界学校の二大ボス時代が終焉

　2022年2月24日、1時間目の授業開始を告げるチャイムが鳴ると同時に、露西亜(ロシア)くんが突然、クラスメイトの烏克蘭(ウクライナ)くんに殴りかかった。烏克蘭くんも応戦し国連先生が止めに入るも喧嘩はいっこうに終わらず、亜米利加(アメリカ)くんなどが烏克蘭くんの応援にまわり、血みどろの殴り合いに発展。暴力禁止の世界学校の校則を無視した露西亜くんの暴挙に、生徒たちは恐怖した。

「次に狙われるのは私!?」と怯える者、「混乱に乗じてうまいことやってやれ」と画策する者なども現れるが、すべては、三十数年前の世界学校における因縁から始まっていたのだ……。

ロシア 俺の物は俺の物、お前の物も元は俺の物！

　そう言わんばかりにロシアはウクライナへ侵攻しましたが、これには伏線があります。そこで、まず1989年にスポットを当ててみましょう。

　第二次世界大戦後、世界学校では40年以上、アメリカをボスとする西側陣営と、ソ連をボスとする東側陣営が対立。直接的に手を出さずに水面下で争いをしていました。いわゆる「東西冷戦」です。

　当時の東側陣営のボス、ソ連の正式名称は「ソビエト社会主義共和国連邦」で、15の構成国（共和国）からなる連邦国家。いわば、15人の生徒からなるチームでリーダーはロシア。なかでも、ロシア、ウクライナ、ベラルーシは互いを「兄弟」と呼び合うほ

●1989年の日本の出来事＝年が明けてすぐに昭和天皇が崩御、新元号が平成に決まる。リクルート事件で政官財の癒着に捜査のメス。消費税がスタート

どの仲でした。もっとも、「俺たちワンチーム」と言いながらも、心はひとつではありませんでした。

では、どのようにして東西冷戦の構図ができ上がったのか？

第二次世界大戦では全体主義（ファシズム）[*1]という共通の敵と戦うため、米ソが手を組みました。しかし敵を倒してしまうと、水と油のような関係が鮮明になり、今度は勢力争いが始まります。ソ連は「解放」の名目でナチス占領下の東欧諸国の共産化を推し進めます。アジアではモンゴル、中国、北朝鮮でもそれを図り、政治思想を同じくする仲間を増やしていったのです。ちなみに、第二次世界大戦でソ連は最大の人的損害を受けましたが、占領地からの工業設備の接収や捕虜の徴用など、最大の収奪を働いたのもソ連でした。

一方のアメリカは長年にわたり、他の大陸には関わらないとする「モンロー主義」を打ち出し、欧州とも距離を置き、「よその地域のことには口を出さない」と宣言していました。しかし、第二次世界大戦で打倒ナチスのために方針を転換しており、戦後は共産主義の仲間を増やしていくソ連に対抗します。

アメリカは西欧諸国の共産化を防ぐための復興計画、マーシャル・プランを推進し、ソ連と東欧諸国は対抗してコメコン（経済相互援助会議）を組織。軍事面ではアメリカ中心のNATO（北大西洋条約機構）に対抗しワルシャワ条約機構を設立。そして、ドイツとその都市ベルリンも東西に二分されたことから、ソ連をリーダーとする陣営が東側、アメリカをリーダーとする側は西側陣営と呼ばれるようになり、東西冷戦の構図ができ上がったのです。

◉

1989年の世界学校ではテストの成績をめぐって、亜米利加くんと蘇聯邦（チームソ連）の対立が続いていた。露西亜くんはメンバーに声を荒げた。

「明日の期末テスト、絶対に平均点で亜米利加を上回れ！　丸暗記でも一夜漬けでもいい！　とにかく１点でも多く取れ！」

ヘトヘトになりながら、蘇聯邦のメンバーはテスト勉強を続けた。

＊1【全体主義】＝個人の利益よりも全体の利益が優先し、個人は国家に従うべきとする思想・政治体制。第二次世界大戦時の日・独・伊、旧ソ連、現在の中国

米ソ これで、ようやく冷戦を止められるよ

　東西どちらの陣営に入るかは政治思想だけが理由ではありません。中東ではアメリカがイスラエルに肩入れしたため、周辺国のシリアやリビアなどはソ連と密接になります。アジア・アフリカでは多くの独立国が誕生しますが、軍事独裁政権がほとんどです。

　アメリカは「反共産主義ならそれ以外は不問」というスタンスでしたから、それらの地域では自由や民主化を求める人々、少数民族が東側陣営に好意的になりました。東側陣営は中南米を含めた第三世界から寄せられる経済援助や軍事援助にできるだけ応えます。独立した国が続々と国際連合（国連）への加盟を果たしており、懐柔しておけば多数決の際に有利と考えたからです。

　大戦後の立て直しも、最初は計画経済[*2]の東側陣営のほうが順調でした。しかし、競争や私有財産を否定する思想は成長の足かせと化します。さらに東側陣営ではソ連の指導への不満から、アルバニアとユーゴスラビアに続き、中国が独自路線に転じるなど内部分裂が生じます。1972年には米中が接近しますが、ソ連にとって相棒のような中国の離脱は衝撃的でした。

　しかも、ソ連は軍事費の膨張という大問題にも直面していました。アメリカでのレーガン政権の誕生以降、軍拡競争が激しさを増し、国家財政が悲鳴を上げ始めていたのです。また、1979年に始まるアフガニスタン侵攻は泥沼化しており、金欠で体力も削られるいっぽうのソ連は、ついに「もう、無理〜！」とばかりに音を上げたのでした。

　経済破綻の回避には思い切った手段しかなく、1985年に誕生した（ミハイル・）ゴルバチョフ政権のもとで、「ペレストロイカ（建て直し）」と「グラスノスチ（情報公開）」を柱とする改革が開始されます。この潮流は東欧諸国にも及び、民主化の波が広がるなかの1989年11月９日には東西冷戦の象徴「ベルリンの壁」が解放されました。そして東欧諸国では民主化のドミノ現象が起き

＊2【計画経済】＝経済発展を自然成長に任せるのではなく、中央政府の意思のもとに計画的に管理・運営する経済体制

冷戦は一気に終結へと向かいます。

　同年末、ブッシュ（父）米大統領とゴルバチョフは冷戦の終結を宣言。このとき、両国の本音は「これで冷戦を止められる！」だったでしょう。ソ連は内政に専念でき、アメリカも双子の財政赤字[*3]で苦しんでおり軍事費の削減は望むところでした。

◉

　世界学校の二大ボスの争いは、亜米利加くんの「生徒の意思を尊重した自由な勉強法」に対し、蘇聯邦が「生徒の意思を無視した強制的勉強法」で挑んだものだった。結局、蘇聯邦が丸暗記や一夜漬けを連発し、最後は息切れしたのだ。そして、生徒の多くが、これからは平和な学園生活を満喫できると信じていたが、それは偽りの平和であり、のちに起こる露西亜くんによる烏克蘭くん襲撃事件の序章でしかなかった。しかも翌年、中東クラスの問題児がとんでもない事件を起こし、世界学校はカオスと化し……。

東西冷戦の構図

西側陣営	東側陣営
アメリカ合衆国	**ソビエト連邦**
イギリス	チェコスロバキア
フランス	ポーランド
イタリア	ブルガリア
西ドイツ	ルーマニア
日本	ハンガリー
カナダ	北朝鮮
オーストラリア	東ドイツ
ニュージーランド	キューバ
南アフリカ共和国	モンゴル
韓国	中国（1960年代の中ソ論争で離反）
フィリピン	

非同盟主義（中立国）

インド
エジプト
ユーゴスラビア
インドネシア

*3【双子の財政赤字】＝歳入と歳出を比較した財政収支と、外国との経済取引で生じた経常収支の双方が赤字の状態。軍事費増大も悪化の一因だった

イラクがクウェートに侵攻し湾岸戦争が勃発！

伊拉久(イラク)制裁を主導した亜米利加(アメリカ)が世界学校の「仕切り役」を自任する

1990年の夏のある日、中東クラスの昼食の時間中に、その事件は起きた。

「お前、俺がよそ見しているときに、俺のパンを盗んだだろう？」

このところ腹をすかしてイライラしている中東クラスの問題児、伊拉久(イラク)くんが、隣の席の科威都(クウェート)くんに因縁を吹っ掛けたのだ。「皆、見たよな!?」と周囲を煽るが、「あのパンは科威都くんの弁当だよ……」と誰も相手にしない。その反応が不満だったのか、

「だったら、こうしてやるよ！」

伊拉久くんは科威都くんからパンを奪い取り、食べ始めたのだ。「やめろ！　国連先生に叱られるぞ！」と大騒ぎの中東クラス。しかし、伊拉久くんは何食わぬ顔でパンを口に押し込んだ……。

イラク 俺が盾をやってるから、お前ら安心してられるんだろ？

イラクは前々から問題児でした。サダム・フセインは権力を集中させるために粛清を重ね、対イラン戦争中には少数民族のクルドに対して化学兵器を使用。それでも世界学校での孤立を免れたのは、「革命の輸出」[*1]を公言するイランに対する「盾」だったからです。事実、1988年までの足掛け9年、イラクはイランと戦争状態にありました。それゆえ、アラブ諸国はその蛮行に目をつぶってきたのです。それに加え、「ソ連の後ろ盾」という有力なコマも手にしていました。

そのイラクが、アラブの同胞クウェートへ侵攻したのはなぜか？

● 1990年の日本の出来事＝第125代明仁天皇の即位の礼、正殿の儀、大嘗祭などが行われる。総選挙で自民安定多数獲得。任天堂がスーパーファミコンを発売

時に1990年８月２日のことです。

　1961年にクウェートがイギリスから独立して以来、イラクは「クウェートは自国の一部」と訴えてきました。対イラン戦争中は棚上げ状態でしたが、戦争終結で再燃。理由は石油の産出量と販売価格にあります。

　戦争中に借金が膨れ上がったイラクとしては、石油の増産から減産へ転換し価格の大幅値上げを望みますが、アラブ産油国の合意を得られません。イスラム教スンニ派は中東でも結束が固いのですが、「俺が盾」のイラクの主張も、彼らの心を動かすには至りません。

　そこでイラクは、石油輸出国機構（OPEC）に石油価格の値上げを要求するかたわら、クウェートに対する非難を開始。「国境沿いのイラクの油田から、クウェートが石油を盗掘している！」と因縁を吹っ掛けるのですが、根も葉もなく誰も耳を貸しません。

　OPECからもアラブ諸国からも期待した反応が得られなかったことで、イラクは軍事行動という強硬手段に出ます。「既成事実を作ってしまえば、国際社会は何もできない」── そこにはイラクなりの理由がありました。

◉

　科威都くんの頭を抑えつけた伊拉久くんは、なんと科威都くんのおかずまで食べ始めた。そして全部を平らげ、
「国連先生が何だって？　誰が何を訴えても蘇聯邦（チームソ連）が異議を唱えれば、誰も俺に文句は言えないんだよ。泣きを見るのは科威都だけ！」
　ほくそ笑んでいたが、伊拉久くんのその思惑は外れ……。

アメリカ これからは、僕の仕切りで学校を回します

　イラクは国連安全保障理事会が何を決議しても、「常任理事国[*2]のソ連が拒否権を発動してくれるから大丈夫」と考えていました。ところがソ連は国外の問題に口をはさむ余裕もなし。冷戦終結がどう国際秩序を変えたのか、フセインは頭の切り替えができ

＊1【革命の輸出】＝イラン・イスラム革命、すなわちシーア派革命を他のイスラム国家でも起こそうとする方針。スンニ派が多数を占めるアラブ諸国の脅威となった

ていませんでした。

　常任理事国はどこも拒否権を発動させず、国連は 8 月 3 日には
イラクに対してクウェートからの撤退を要求、同月 6 日には世界
規模の対イラク経済政策が決議されます。アメリカと NATO 諸国
はクウェートにとどまらず、イラクが湾岸の油田すべてを支配下
に置くことを恐れ、サウジアラビアへ派兵することを決定します。

　しかし、イスラム教の二大聖地[＊3]を有するサウジアラビア
が、異教徒の軍隊の駐留を許すとは前代未聞。イスラム世界でも
保守派の代表格サウジアラビア王家が許諾するほど、事態は深刻
だったのです。

　とはいえ、よそのクラスの生徒が自分たちの教室に足を踏み入
れ、偉そうに仕切り始めたようなものですから、どんな事情があ
ろうと承服できません。「よそ者（異教徒）が我らの聖地を汚すと
は、どういうことだ!?」と、怒りをたぎらせる者たちが出てくる
のは必定で、のちに2001年アメリカ同時多発テロ事件に参画した
のは、そうした面々でした。

　この湾岸での軍事増強は「砂漠の盾作戦」と称され、イラク周
辺に集結した兵数は合計70万人で、主力は単独で54万人もの兵力
を送り出した米軍でした。公然とイラクを支持したのはヨルダン、
スーダン、イエメン、PLOのみで、ソ連と中国は完全な傍観者。
日本は人を出しませんでしたが、のちに多国籍軍が要した軍費の
何割かを肩代わりします。

　多国籍軍による空爆「砂漠の嵐作戦」が開始されたのは1991年
1 月16〜17日にかけてのこと。対空砲火を行うバグダードからニ
ュース映像が世界中に配信されました。 2 月24日には地上戦「砂
漠の剣作戦」が開始されますが、戦いは一方的な展開となり 2 月
27日にはクウェートを奪回、翌日にはブッシュ米大統領が停戦を
宣言。イラク領内に攻め入ることなく目的は達成されたとして、
矛を収めたのです。

　湾岸戦争では、テレビを通じて米軍のハイテク兵器とイラク軍

＊2【国連安全保障理事会常任理事国】＝中国、フランス、ソ連（現在はロシア）、イギリ
ス、アメリカで、一国でも反対があれば安保理の決定は成立しない

の残忍性が繰り返し報道されました。どちらの面でも報道には多くの「フェイク」が含まれていたようですが、現代戦が数より質の勝負になることを、世界に知らしめた戦争でもありました。

　また、今後の世界秩序は唯一の超大国アメリカと国連が上手に役割分担をしながら保持していく——湾岸戦争をそのテストケース、最初の成功例とする見方もされたのです。

◉

　国連先生の伊拉久くんへの教育的指導も、亜米利加くんを中心に生徒たちが力を合わせたこともあり無事に終わった。そして、亜米利加くんは、ふと笑みを浮かべこう漏らした。

「これからは、僕と国連先生で学校を仕切っていかないと」

　自らを「特別な存在で仕切り役」と信じて疑うことがない亜米利加くん。その横顔には傲慢さがにじみ出ているのだった。

イランに対する「盾」としてのイラク

※シーア派とスンニ派の対立
預言者ムハンマドの後継者を、シーア派は預言者アリーの子孫が継承する、
スンニ派は血統ではなく能力で決めるべきとした

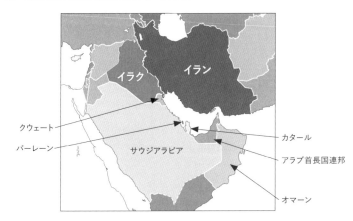

8つの湾岸諸国のなかでイラン以外はアラブ諸国であり、
イラクはシーア派革命を目指すイランに対する「盾」だった

＊3【イスラム教の二大聖地】＝預言者ムハンマドの生誕地メッカと、ムハンマドが没した
地であるメディーナ

蘇聯邦が崩壊——その名前が世界学校の名簿から消える

バン！　という衝撃音に、欧州クラスの生徒全員が凍り付いた。二大ボス時代の終焉以降、蘇聯邦（チームソ連）には不穏な空気が流れていた。彼らは教室の片隅でボソボソと話していたのだが、何かが起きたようだ。

「今、お前、何て言った？　もういっぺん言ってみろ」

「……僕は蘇聯邦を抜けて……ひとり立ちしたい……」

学校一の巨漢、露西亜（ロシア）くんが、鬼の形相で小柄な立陶宛（リトアニア）くんを見下ろしている。だが、立陶宛くんも睨み返して一歩も引かない。緊張した表情で2人を見つめる蘇聯邦の面々。見れば殴られた立陶宛くんの唇は腫れ上がり、血が滲み出ている……。

1991年1月。年明け早々に起きたこの出来事は、のちに「血の日曜日事件」として、世界学校の歴史に刻まれるのであった。

ソ連構成国　ロシアをボスとするか？　いや、今こそ独立だ！

再建のため、ソ連は「ペレストロイカ」と「グラスノスチ」を打ち出します。国有企業の改革、党内議論の自由化はともあれ、当初は共産党の一党支配は絶対条件と考えられていました。

ところが、一度緩めたタガをほどよいところで締め直すのは至難の業。1990年2月のソ連共産党中央委員会総会と3月の人民議員大会で、複数政党制への移行と大統領制の導入が決まります。大統領は国民の直接選挙で選出とされましたが、初代だけは特例で人民議員大会が選出する運びとなり、共産党書記長のゴルバチ

●1991年の日本の出来事＝野村証券など証券・金融不祥事が続発。雲仙・普賢岳で火砕流、40人死亡。宮澤内閣発足。ジュリアナ東京スタイルが流行

ョフが形だけの選挙を経て就任しました。

　しかし、ソ連は15の共和国（構成国）からなる連邦国家です。複数政党制の導入などの変化にともない、それぞれの構成国が、自らのあり方を考え直す必要もありました。まさに選択の時です。「これからもロシアをボスと仰ぎ、ワンチームの一員として生きていくか？　それとも、自立して世界学校の一生徒になるか？」

　そもそもリトアニアを含むバルト3国のように、第二次世界大戦下にソ連とナチス・ドイツのあいだで翻弄された挙句、連邦の一員にさせられた国もあります。無理やりチームに引き込まれたのです。「好き好んで、こんなチームに入ったんじゃないよ！」が本音。ゆえに、チームの再建において好ましくない展開も予測されましたが、「グラスノスチ」を宣言した手前、ゴルバチョフは内外のメディアに報道規制を課することはしませんでした。

　そして、結果は推して知るべし。民族自決の機運が高まる時節柄、複数政党制が導入されれば、民族主義政党に票が流れるのは必然でした。ロシア系民族が多数派ならまだしも、そうでない共和国で連邦からの離脱要求が高まるのも自然な流れだったのです。

　しかし、独立を宣言してもロシアが目の前にいることに変わりなし。これからも付き合うしかありません。そしてリトアニアの首都ビルニュスで、市民ら14人が犠牲となる惨事「血の日曜日事件」[＊1] が起きたのでした。

　そして、リトアニアの激動と前後して、同じくバルト海に臨むラトビアとエストニア、黒海西岸のモルドバ、黒海の東にあるジョージア（当時の呼称は「グルジア」）とアルメニアでも、次々とソ連からの独立意志表明がなされました。

◉

「このチーム、もうダメだろう……。僕は抜ける」
「俺も決めたよ。抜けるなら、今しかない！」
「そうだ。このチームに明るい未来なんてない！」
　立陶宛くんの事件以降、彼とともに「バルト3兄弟」と呼ばれ

＊1【血の日曜日事件】＝1991年1月、テレビ局などの施設を占領したソ連軍と最高会議場周辺に集まった市民約15万人が睨み合い、同年8月まで続いた

る良都美野くんと愛沙尼亜くんをはじめ、多くのメンバーが次々とひとり立ちの意志の表明をした。

　世界学校において席替えはない。近くの席に座り続ける露西亜くんはいつ何をしてくるか……恐怖以外の何ものでもない。だが、

「常に露西亜くんの顔色と、ご機嫌を窺う毎日はもう嫌だ！」

　そんな窮屈な学園生活から解放され、自らの意思で行動する喜びは何事にも代えられない……。メンバー誰もが、そんな思いを抱いていた。

ソ連　あっけないもんだね、俺たちの最後は……

　それでもソ連では、1991年3月17日に実施された連邦の維持に関する国民投票が行われます。そして6つの共和国がボイコットしたとはいえ、連邦の維持が支持されました。

　また、同年6月に行われたロシア大統領選挙で急進改革派のボリス・エリツィンが当選すると、ゴルバチョフはエリツィンへ接近します。共産党や軍の保守派は反発し、その果てに起きたのが1991年の8月政変 [＊2] でしたが、エリツィンとモスクワ市民がクーデターを起こした保守派への対抗姿勢を露わにすると、軍の大半はエリツィン支持を表明。政変はあっけなく失敗に終わります。

　このどさくさに紛れ、エストニアとラトビアが即時独立を宣言。ロシアがこれを直ちに承認したのを見て、ウクライナを筆頭にそれぞれの共和国が相次いでソ連から離反していったのです。

　連邦を再編するにしてもサイズの縮小は免れず、少しでも結束を維持しようと思えば、新たに国家連合を組織する必要がありました。そこで、ロシアとベラルーシ、ウクライナのスラヴ3国により、ソ連解体と独立国家共同体（CIS）[＊3] の発足で合意を見ます。12月にはスラヴ3国を中心に11カ国の代表が集まり、CISの結成を正式に確認。ゴルバチョフは引退を表明し、ソ連は事実上解体されたのでした。

　国際社会からソ連の名は消えました。それとは逆に、翌1992年

＊2【8月政変】＝パブロフ首相、クリュチコフKGB議長らが、大統領権限の譲渡と非常事態導入宣言への署名を拒否したゴルバチョフを軟禁状態に置いたクーデター

にかけて、バルト3国やジョージア、CIS加盟国、ユーゴスラビアから分離独立した諸国が順次国連に加入します。また、韓国と北朝鮮も1991年に国連への同時加盟を果たし、国連の加盟国、すなわち世界学校の生徒数が大幅に増えることとなりました。

◉

　年の瀬が押し迫る頃、国連先生は世界学校の名簿の整理をしていた。蘇聯邦の元メンバーたちが正式にひとり立ちする見込みが立ち、多少は安堵していたが、脳裏に不安がよぎる。アイデンティティや宗教などが複雑に異なる、6人編成の南斯拉夫の今後だ。
「もめ事が激化せねばいいが……」
　しかし、その懸念は現実のものになってしまう。

ソ連崩壊時の構成国のロシアへの感情

依存

アルメニア
トルコとアゼルバイジャンとも
不仲なのでロシア頼み

ベラルーシ
ロシアがそう言うならと成り行き任せ

中央アジア5カ国（カザフスタン、
ウズベキスタン、キルギス、
タジキスタン、トルクメニスタン）
寝耳に水で独立してやっていけるのか不安

アゼルバイジャン
言語が近いトルコや宗教が同じ
イスラム世界との関係回復を願う

ウクライナとジョージア（当時はグルジア）
ロシアと縁を切って欧州へ
仲間入りしようと前のめり♥

リトアニア、ラトビア、エストニア
そもそもソ連の一員のつもりがない！（怒）

決別！

＊3【独立国家共同体】＝独自の憲法や議会は持っておらず、現在では有名無実の状態。
すでにウクライナとジョージアは脱退している

1992年 ▶

ロサンゼルスで黒人が暴動を起こす

世界学校のリーダー亜米利加（アメリカ）を
苦しめる「差別」という病巣

「ああ……また、アレが暴れ始めたよ……」

　世界学校のリーダー、亜米利加（アメリカ）くんは長年、ある持病に苦しんできた。それが彼の言う「アレ」、抑えようがない差別という病だ。何年かに一度、アレが体のなかで暴れ始める。だが今回のアレはかなり激しい……。学校中の生徒がドン引きするほど、亜米利加くんは沈鬱な表情を浮かべている。

「あの病は体質的な問題だよ」という声が世界学校のあちこちから聞こえてくるが、亜米利加くんは体内にどんな危険な爆弾を抱えているのだろうか……。

アメリカ 僕のなかの「差別」は、形を変えながら続いてきたんだ

　1992年4月29日、カリフォルニア州南部にあるアメリカ第二の都市ロサンゼルスで黒人による暴動が発生しました。日本人にとっては寝耳に水。発展途上国でしか起こりえないと信じて疑わなかった暴動が、アメリカの大都市で起きたのですから無理もありません。

　アメリカは国際社会のリーダーでありながら、その内部に深刻な「病」を抱えていました。「WASP」[＊1]という言葉がありますが、アメリカをひとつのクラスにたとえるなら、アングロ・サクソン系の白人プロテスタントを頂点とするスクール・カーストが形を変えながら続いていたのです。

　建国から2世紀半の歴史のなかで多少の変動はありますが、黒

● 1992年の日本の出来事＝佐川献金疑惑で金丸信が議員辞職。バブル崩壊で不況が深刻化する。PKO協力法が成立、カンボジアに自衛隊派遣

人がスクール・カーストの下位に位置する状況に変わりはありません。リンカーンによる奴隷解放宣言で解決したはず、黒人が貧困から抜け出せないのは努力不足、自己責任とする声もありますが、それは「親ガチャ」で当たりに恵まれた人間の傲慢な言い分にすぎません。

　貯金がなく教育も受けていない状態でいきなり放り出され、今からすべて自由と言われたところで、いったい何ができるでしょうか。スタートラインで負わされたハンディキャップの克服は困難で、貧困の連鎖が続くのは目に見えていました。

　大雑把に言って、アメリカの歴史は差別解消への努力と揺り戻しの繰り返しです。南北戦争（1861〜1865年）と戦後処理で光明が見えたのも束の間、南部諸州から北軍が完全撤退すると、最初の揺り戻しが始まります。

　スポーツ界での黒人排除、黒人からの参政権の剥奪、平等なサービスが提供されれば人種隔離は合法とされるなど、黒人に対する逆風は止みませんでした。黒人が不特定多数の白人たちにリンチで殺されるのも日常茶飯事となります。

　また、アメリカ先住民やアジア系、東欧系、南欧系、アイルランド系カトリックへの差別もひどく、WASPにはローマ教皇を悪魔呼ばわりする者も多くいます。報奨金付きで、中国系移民の頭皮剝がしが奨励されたことさえありました。

　元手もさしたる技術も不要で商売の手始めとして人気のあった洗濯業界では、誰が元締めとなるかを巡り、移民グループ間での激しい武闘が展開されたこともありました。

◉

　病を克服するために何度も治療を試みたものの、揺り戻しがやってきて亜米利加くんの体を蝕んでいく。亜米利加くんは今、過去を思い出しながら、病を克服することの難しさを痛感していた。それでも、何度かは病を克服できそうな時期と気配はあったのだが……。

* 1【WASP】＝ White Anglo-Saxon Protestant（アングロ・サクソン系プロテスタントの白人）の略称

アメリカ 21世紀に入って、体の構成バランスが変わったね

　差別の解消にとって大きな追い風となったのは第二次世界大戦です。戦地での人種隔離は非効率極まりなく、いたずらに死傷者を増やすのみならず、勝敗そのものも左右しかねません。戦地では異なる人種間に戦友としての絆が生まれ、全米で差別撤廃を求める動きが活発したことで、流れが変わり始めます。

　それが頂点に達したのが1950年代半ばから1960年代に起きた公民権運動[*2]でした。黒人の隔離や参政権を否定する州法はのきなみ違憲とされ、法の上での平等化が加速されます。しかし、差別の連鎖を断ち切る具体策に乏しく、黒人貧困層の不満は再び限界点に達しようとしていました。

　そこに重なったのが新参者、韓国系移民の躍進です。奴隷をルーツとする黒人に対し韓国系移民はある程度の資産を持っており、主に小売業で成功を収めていました。それに対する嫉妬も重なり、ロサンゼルス暴動では韓国系スーパーが襲撃対象となったのです。

　2008年の大統領選挙におけるバラク・オバマの勝利と2012年の再選は、黒人の地位向上をうながすと期待されました。しかし、2016年の大統領選挙では大方の予想に反して、「アメリカ・ファースト」を掲げるドナルド・トランプが当選。トランプは時代錯誤で、場当たり的としか思えない政策を連発し、国際社会におけるアメリカへの敬意と信頼は大きく揺らぎました。それと同時に、時代は逆戻りしてしまいます。差別という病の揺り戻しです。

　ところで、日本ではあまり報じられないか、報じられても軽視される傾向にありますが、21世紀のアメリカではヒスパニック系住民の増加が止まりません。現在では黒人を抜いて、アメリカ国内で最大のマイノリティーとなりました。

　国籍に関して、移民国家のアメリカは出生地主義をとっています。両親が不法移民でもアメリカ国内で生まれた子供は市民権を得られ、両親も安泰になる。このためメキシコと国境を接する諸

────────────────

＊2【公民権運動】＝アメリカのマイノリティー、とくに黒人が憲法で認められた個人の権利の保障を訴えた運動

州を中心にヒスパニック系住民の占める割合が増え続けてきたの
ですが、それらの地域は、アメリカが米墨戦争[＊3]の勝利で手に
した地域と重なります。

　ヒスパニック系にすればかつての領土なわけで、スペイン語が
通じ、遠戚が必ずいて仕事もある。WASPに比べれば低賃金です
が、アメリカの経済と社会が低賃金に甘んじる一定数の者により、
そして複雑な人種の構造で回っている現実も、見落としてはなり
ません。

　差別という病は、亜米利加くんだけのものではない。自分のな
かで爆発するか、自分以外に向けるかなどの違いはあるが、それ
は世界学校の生徒が等しく抱えたものだ。事実、後年、仏蘭西く
んも自分のなかで病を爆発させた。また、差別と深くかかわる、
「分断」という言葉が、世界学校ではしばしば用いられるようにな
っていった。

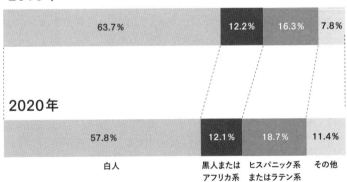

アメリカの総人口に占める人種・民族の割合

2010年

63.7%	12.2%	16.3%	7.8%

2020年

57.8%	12.1%	18.7%	11.4%
白人	黒人または アフリカ系	ヒスパニック系 またはラテン系	その他

※アメリカ国勢調査局の2020年のデータを元に作成

＊3【米墨戦争】＝1846年〜48年、アメリカとメキシコ間で起きた戦争。勝利したアメリ
カはテキサス、ニューメキシコ、カリフォルニアなどを手にした

世界経済のグローバル化を加速させる新潮流

仏蘭西(フランス)と新生独逸(ドイツ)を中心に
欧州クラスで欧羅巴連合(EU学習会)が結成!

　11月の朝、仏蘭西(フランス)くんと独逸(ドイツ)さんは晴れ晴れとした表情をしていた。なぜならば、かつて二度の大喧嘩をした2人が中心となり、念願の勉強会、欧羅巴連合(EU学習会)がスタートしたのだ。

　もともと、仏蘭西くんや独逸さんを含む欧州クラスの優秀な生徒は、世界学校のエリート集団だったが、今では亜米利加(アメリカ)くんに追い抜かれてしまっていた。そこで、「学習会を作り皆で勉強をして、全員の成績を上げよう」というアイデアから、欧羅巴連合結成の運びとなったのだった。

西欧諸国 アメリカの支援はありがたいが、やりすぎなんだよ

　第二次世界大戦で多大な被害を被った西欧はマーシャル・プランをテコに息を吹き返しますが、手放しで喜べるものではありませんでした。物質に加え、極端に商業化されたクリスマスなど、次々と押し寄せるアメリカの現代文化に脅威を感じる人が少なくなかったのです。

　同じく西欧でもイギリスと大陸諸国では考え方に隔たりがあります。かつての植民地であったアメリカとの関係において、立場が逆になったことをイギリスは受け入れました。しかし、大陸諸国は多少事情が違います。アメリカとの軍事同盟は大事ですが、「このままでは我々は、アメリカとソ連の狭間で埋もれてしまう。そんなことがあってはならない!」

　欧州各国からは、こんな声が上がるようになったのです。

●1993年の日本の出来事＝細川連立政権が誕生。大型不況が深刻化し、企業のリストラに拍車をかける。皇太子、雅子さまご結婚

大陸諸国のなかでも急先鋒だったのがフランスです。核兵器の開発こそアメリカの協力を得て進めましたが、アメリカによる支配から独立したスタンスを保ち、1966年にはNATOの軍事機構から脱退します（2009年に復帰）。

　アルジェリアとベトナムという二大植民地を喪失し、失うものが大幅に減ったフランスは、この頃から西欧をひとつの経済圏にまとめあげ、米ソ二大超大国に比肩しうる第三勢力を築くことに本腰を入れます。1967年のヨーロッパ共同体（EC）[＊1]の設立はその大きな一歩でした。それは、ゆくゆくは異なる言語、異なる民族、異なる国家を、関税や通貨、出入国、労働許可、福祉、防衛など多岐にわたる分野で、共通のルールのもと、ひとつの共同体にまとめあげるという、何とも壮大な理想と計画です。

　壮大な目標の達成には神話や、なぞらえられるシンボルも必要ですが、西欧には古代ギリシャ・ローマ文明を共通の知的財産とする神話があります。キリスト教文化、ルネサンスと近代科学も然りです。

　シンボルとしては、カール大帝時代のフランク王国[＊2]が最適でした。

　ナポレオンのほうが支配領域は大きいのですが、侵略者のイメージがあります。その点、カール大帝は宗教改革や、まだ欧州諸国の枠組みができるよりも前の人物なので、不快に感じる人はまずいません。EC成立時の加盟国とカール大帝時代のフランク王国の版図もほぼ重なるので、わかりやすい選択でもありました。

◉

　欧羅巴連合にはメンバーが守るべきルールがあった。それは、❶互いのノートを見せ合う　❷毎週金曜日の放課後は全員で共同学習　❸他のクラスの生徒に頼まれたら、休み時間に勉強を教えてあげるの3つだ。ルール③は欧羅巴連合だけではなく、世界学校の全員の学力アップも謳ったものだから、他のクラスの生徒たちのウケはいいはず。これで、校内での影響力アップを狙える！

＊1【ヨーロッパ共同体】＝すでにあったヨーロッパ石炭鉄鋼共同体、ヨーロッパ原子力共同体、ヨーロッパ経済共同体の3つを統合した組織

EU加盟国 問題は山積みだけどメンバーは27人になったよ

　冷戦の終結とそれにともなう東欧の民主化ドミノは、国際秩序に激変をもたらしました。西欧では当面の軍事的な脅威が消え去ったことで、政府要人や国民の主な関心も他の分野に向かいます。

　冷戦が西側の自由主義・資本主義陣営の勝利に終わった以上、これからは西側先進国の価値観が世界の絶対的なスタンダードになる。いわゆる、グローバリズム（グローバリゼーション）です。

　けれども、ダーウィンの進化論を否定する人間が国民の過半数を占め、宗教が選挙結果を左右するアメリカに対し、西欧では脱宗教化が進むばかりです。このように、アメリカと西欧の価値観にはいろいろな点で相違があり、「西側先進国」と簡単に一括りにはできません。

　国際社会では漠然と、アメリカと西欧の価値観を足して2で割ったくらいをスタンダードと認識していました。しかしソ連の脱落により、アメリカが唯一の超大国となると、均衡が大きく崩れてしまい、

「アメリカは態度デカすぎ、声デカすぎ、圧が強すぎ！」

　とばかりに欧州各国のあいだで、アメリカの価値観に飲み込まれる不安が口にされるようになったのです。

　英語を第一外国語とする程度ならともかく、安全性の面で疑問の多いアメリカ産の農畜産物を買わされるのも、歴史と伝統に裏打ちされた生活習慣にイエローカードを突き付けられるのも迷惑かつ不快な話です。こういった背景のもと、アメリカによる経済侵略と文化侵略を阻む意味からも、ECの発展的解消を望む声が高まりました。

　これに拍車をかけたのがドイツ統一です。かつて仇敵の間柄にあったフランスとドイツですが、二度の世界大戦を経て、協力するのがお互いのためとする空気が支配的となり、独仏両国を中心として、新たな共同体づくりが加速します。

＊2【フランク王国】＝西ゲルマン系のフランク人が建てた王国（486〜987年）。欧州の政治的・文化的統一を実現した

かくして1993年、マーストリヒト条約[＊3]に基づき、ヨーロッパ連合（EU）が設立されました。当初、ECの加盟国はフランス、西ドイツ、イタリア、オランダ、ベルギー、ルクセンブルクの６カ国だけでしたが、2022年10月時点では27カ国、構成人員も４億人超にまで拡大しています。

　移民問題、人権を巡るルール違反など問題は山積みですが、EUが世界経済を左右しうる巨大な統一市場であることはたしかです。

◉

　一強になった亜米利加くんは、他の生徒に対する上から目線が目立つようになってきた。だが、欧羅巴連合は違う。他のクラスの生徒を受け入れる、ルール「③」の人間関係の姿勢は対等の付き合い。つまり、互いを認め合うというのがアピールポイントだ。こうやって多くの生徒の支持を集め、欧羅巴連合は亜米利加くんに対抗し得る、新しいタイプのリーダーを目指すのだ！

1993年

＊3【マーストリヒト条約】＝1993年11月1日に発効されたEC設立条約の改正条約。ヨーロッパ中央銀行の設立や通貨単位の共通化などが盛り込まれた

1994年 ▶

ボスニア・ヘルツェゴヴィナ紛争と民族浄化の傷跡

南斯拉夫の解散と
自立へ向けた最悪のプロセス

チームユーゴスラビア

二大ボス時代の終焉後、南斯拉夫も解散、各メンバーも世界学校の生徒として認証される道のりを歩みつつあった。なかでも国連先生が心配しているのが波斯尼亜・黒塞哥維那くんだ。1994年はまさに混乱の最中。耳をふさぎたくなるような報告が、国連先生の耳にも毎日のように飛び込んでくるのだが……。

旧チームユーゴ **理解できないだろうけど、僕らは複雑すぎるんだ……**

冷戦の終結にともない旧共産圏で多民族国家の解体が相次ぎ、国連の加盟国数も増えます。解体も、チェコスロヴァキアがチェコとスロヴァキアに分かれたように平和的に進んだ例もあれば、ソ連がバルト3国にしたように、流血をともなう例もありました。

なかでも最悪の展開となったのがユーゴスラビアです。正式な国名はユーゴスラビア社会主義連邦共和国で、何度かの変遷を経て1974年以降は6つの共和国と2つの自治州からなる緩やかな連邦体制をとっていました。その特徴を表す次の言葉があります。

「7つの国境、6つの共和国、5つの民族、4つの言語、3つの宗教、2つの文字、1つの国家」

古くは東ローマ帝国（ビザンツ帝国）、中世以降はオスマン帝国、近代以降はオーストリアとロシアの支配や強い影響下に置かれたことから、宗教ではキリスト教のカトリックと東方正教会、イスラム教の3つ、宗教にともなう生活習慣の相違から5つの民族が混在。文字にもラテン文字とギリシャ系のキリル文字の2系

● 1994年の日本の出来事＝自社さ連立の村山内閣が発足。小選挙区導入など政治改革法が成立。大江健三郎がノーベル文学賞を受賞

統がありました。

　ユーゴスラビアは「南スラヴの国」を意味する言葉で、「南スラヴ」とは言語学上の区分です。コソボのアルバニア人を除けば、ユーゴスラビア国民の大半は南スラヴ人に分類されます。ならば仲良くできそうですが、現実はそうはいきませんでした。

　ユーゴスラビアという連邦国家の存立は、初代の最高指導者チトー（本名：ヨシープ・ブローズ）という、どの民族からも等しく尊敬を集めた一個人と、彼の掲げた自主管理と非同盟による独自の社会主義路線によって支えられてきたのです。

　自身の死期を悟ったチトーは1974年に新憲法を定めますが、1980年のチトーの死とともに民族問題が深刻化します。それまでにも衝突はありましたが、チトーが説得にあたると何とか収めることができました。ユーゴスラビアは典型的な人治国家だったのです。

　人治国家であれば、憲法を改正しても効果は期待できません。５つの民族のなかで最大多数を占めるセルビア人が数の論理を推し進めれば進めるほど、民族間の溝は深まるばかり。このような状況下で迎えたのが、冷戦の終結と複数政党制の導入でした。

◉

「チームの維持！」「いや、まず一生徒としての自立！　今が絶好のタイミングだ！」と、南斯拉夫での話し合いは対立が目立ち、怒号が飛び交うばかり。すると「だったら、僕らは抜けるよ」と２人の生徒がひとり立ちを宣言。すると、何を話してもムダとばかりに、今度はつかみ合いの乱闘が始まった。

旧チームユーゴ 不完全ながら、僕らは自立したけれど……

　ユーゴスラビアでも国家の再編が議論されますが、セルビアとモンテネグロは「連邦制の維持だ！」、スロヴェニアとクロアチアは「主権国家の自由意志による連合体だ！」と主張して対立。ボスニア・ヘルツェゴヴィナとマケドニア（のちに国名を「北マケ

＊1【ボシュニャク人】＝ムスリム（イスラム教徒）であったことから、内戦当時はムスリム人、またはモスレム人と報じられていた

ドニア共和国」に変更）が「主権国家による共同体では？」という折衷案を出したところで、話し合いは暗礁に乗り上げます。

これ以上の議論はムダとばかり、スロヴェニアとクロアチアの議会で独立宣言が採択されたのは1991年6月。しかし、クロアチア在住のセルビア人が武装蜂起し、クロアチアに駐留するユーゴスラビアの連邦人民軍がこれに介入、本格的な内戦に突入します。

その後、ECの仲介で休戦協定が締結され、10日間で終わったために、これは「十日間戦争」と呼ばれます。また、ドイツを一番手に、クロアチアとスロヴェニアの独立を承認する動きが続いたことから、ユーゴ内戦の第一幕は終わりを告げました。

しかし、翌年にはボスニア・ヘルツェゴヴィナで内戦が勃発。きっかけは、在住セルビア人がボイコットするなかで実施された連邦からの独立の賛否を問う国民投票です。投票総数の99％、有権者総数の62％が独立に賛成で、賛成票を投じたのはボスニア・ヘルツェゴヴィナ在住のクロアチア人とボシュニャク人[＊1]でした。

これを受け在住セルビア人が武装蜂起をすると、連邦人民軍がセルビア人の保護を名目に介入。ECがボスニア・ヘルツェゴヴィナの独立を認めると、セルビア共和国と各地のセルビア人武装勢力は国際社会を敵に回すのも辞さない姿勢へと転じます。

序盤はセルビア人勢力が有利に戦いを進め、ボスニア・ヘルツェゴヴィナ全土の6割以上を支配下に収めます。この間に起きた女性の集団拉致、強姦、堕胎不可能になるまでの監禁は「エスニック・クレンジング（民族浄化）」[＊2]の名で国際的な非難の的となりました。また、このとき介入に動いたのはNATO軍でした。

1995年11月調印の和平協定で、国土の51％をボスニア・ヘルツェゴヴィナ連邦、49％をセルビア人共和国に帰しながら、単一の国家を維持するという玉虫色の決着がなされたまま、現在に至ります。

●

＊2【民族浄化】＝セルビア人勢力だけの行為ではなかったが、ボシュニャク人勢力と契約したアメリカの広告代理店によりセルビア悪玉論が広く浸透した

「私も、世界学校の正式な生徒として認められ、ちゃんと勉強を
したいのです」

　旧南斯拉夫の6名の生徒が新たに加わった名簿を見ながら、国
連先生は科索伏[*3]さんの悲痛な言葉を思い返していた。彼女の
ように、学校に身を寄せ正式な生徒として認めてもらいたくても、
それがかなわない者が少なからずいる。そして彼ら彼女らは、迫
害や差別といった、いじめの対象になりやすい。

「立場が弱い者がいることを忘れてはならない……」

　国連先生は肝に銘じるように名簿を閉じた。

旧ユーゴスラビアの独立と国連加盟

●スロヴェニア
1992年独立／1992年国連加盟

●クロアチア
1991年独立／1992年国連加盟

●セルビア
2006年独立／2000年国連加盟

アドリア海

●ボスニア・ヘルツェゴヴィナ
1995年連合国家となる／
1992年国連加盟

●モンテネグロ
2006年独立／2006年国連加盟

●コソボ
2008年にセルビアからの独立を宣言。
現在は国連の暫定統治下に置かれている

●北マケドニア
1991年独立／1993年国連加盟

＊3【コソボ】＝アルバニア人が92％を占めるセルビア共和国の自治州。独立を要求し
コソボ紛争が起き、1999年にはNATOも介入した

1995年 ▶

パレスチナ自治政府設立と和平への模索

以色列(イスラエル)vs巴勒斯坦(パレスチナ)&アラブ仲間
中東クラスの火種の行方は!?

世界学校の中東クラスには、長年くすぶっている火種がある。以色列(イスラエル)くんと、世界学校の正式な生徒ではないが国連先生も目をかけている巴勒斯坦(パレスチナ)くんの関係だ。巴勒斯坦くんのアラブ仲間も加わり、何度も大乱闘になったが、その犬猿の仲だった関係にも、わずかだが、改善の兆しが見えてきたのだ……。

イスラエル 迫害を受けた末、僕はこの地で独立したんだ

フランス映画『オフィサー・アンド・スパイ』は実際の冤罪事件を扱った作品です。主人公はユダヤ系のフランス人将校で、嘘の証拠と証言でドイツのスパイとして終身刑の判決を下されます。この出来事の背景にあるのが、欧州の根深い反ユダヤ主義の思想でした。

中世の反ユダヤ主義は宗教問題でしたが、近代のそれはフランス革命に由来する近代ナショナリズムに社会ダーウィニズム[*1]とエセ科学、政治的な打算などがミックスされたものです。帝政ロシアでは民衆の不満のガス抜きに利用され、反ユダヤ暴動が頻発しました。

度重なる迫害[*2]を受け、欧州在住ユダヤ人のあいだで、自分たちの国を築こうとするシオニズム運動が盛り上がりを見せ、紆余曲折を経て、その地はパレスチナ[*3]以外にないと結論されます。ドイツでのナチス政権の成立が移住の流れをあと押しして、パレスチナにおいて19世紀末には総人口の５％にも満たない少数

● 1995年の日本の出来事＝阪神大震災が起きる。オウム真理教による地下鉄サリン事件。不良債権で住専やコスモなど金融機関の破綻相次ぐ

派だったユダヤ人が、第二次世界大戦終結直後には総人口の３分の１を占めるまでに増加。そのため、先住のアラブ人（パレスチナ人）と衝突することも増えていきました。

　第一次世界大戦後、パレスチナはイギリスの委任統治下に置かれましたが、治安の維持などに失敗して傷口を広げたあげく、イギリスは国連に統治を丸投げします。これを受けて1947年11月の国連総会で、パレスチナをアラブ人地域とユダヤ人地域、国連管理地域に３分割するパレスチナ分割決議が採択されます。しかし、周辺アラブ諸国は、

「あまりにもユダヤ人びいきじゃないか！」

　と納得がいきません。そのため翌年５月、ユダヤ人国家イスラエルが一方的に独立宣言を行うと、周辺アラブ諸国が軍事行動を起こし第一次中東戦争へと突入します。

　中東戦争は都合４回を数えますが、一連の戦闘の結果、イスラエルの占領範囲は国連決議で決められたそれを大きく超え、国連管理下とされたエルサレムやシリア領のゴラン高原、エジプトのシナイ半島（1982年に返還）にまで及びました。この間に故郷を逃れたアラブ人の数は数百万人、周辺諸国に逃れた人々や国内難民と化した人々もおり、両者は「パレスチナ難民」と呼ばれるようになります。

●

「それにしても、英吉利（イギリス）くんの丸投げにはまいったな。彼は頭がいいのだけど、悪名高き、三枚舌外交をしていたし……」

　国連先生は、英吉利くんに翻弄された以色列（イスラエル）くん、そしてとりわけ巴勒斯坦（パレスチナ）くんの今後を心配している。ただ、そんななかでも、剛腕一辺倒だった亜米利加（アメリカ）くんが少し自覚を持ったことはプラス材料だ、との思いもあった。

パレスチナ　僕は皆に認められ、自分の席が欲しいだけだ

　国連でのユダヤ人への有利な決議の背後にはアメリカの働きか

*１【社会ダーウィニズム】＝ダーウィンの生存競争による最適者生存の理論を誤解、拡大解釈して人間社会における自然淘汰説を導き出そうとするもの

けがありました。同国のイスラエルびいきはその後も変わらず、西欧諸国も迫害の歴史への負い目から、イスラエルに対して甘い態度を取り続けます。しかし、アラブ諸国が原油の輸出禁止・価格引き上げなどの石油戦略を取ると、以降、少なくとも西欧社会には、パレスチナ問題に公平な姿勢で臨むべきとの考え方が広まります。

この間にアラブ側の闘争の主役はエジプトやシリアなどの周辺アラブ諸国から、難民で結成されたパレスチナ解放機構（PLO）へと変わります。また、軍事費の負担に耐え切れなくなったエジプトがイスラエルとの単独和平に踏み切る動きもありました。

しかし、湾岸戦争がきっかけでアメリカの姿勢が変化します。サダム・フセインのスローガンのなかに「アラブの大義」と「パレスチナの解放」があり、イスラエルの占領下のガザ地区とヨルダン川西岸地区のアラブ人が、これに歓喜する様子が世界中に報じられたからです。

「パレスチナ問題の解決なくして、中東の安定は望めないのか……」

アメリカがようやくそれを悟り、水面下での和平交渉が進展します。その結果、1993年9月に交わされたのが「パレスチナ暫定自治に関する原則宣言」で、俗に「オスロ合意」と呼ばれます。

1994年7月にはイスラエルとヨルダン間で平和条約が成立。イスラエルとPLO間でも1995年9月に「自治拡大協定（第2オスロ合意）」を調印。翌年1月にはガザ地区とヨルダン川西岸地区でパレスチナ自治選挙が実施され、国会に相当するパレスチナ立法評議会が発足します。

大きな前進には違いないのですが、難民の帰還や没収財産の返還

現在のパレスチナの統治

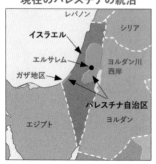

レバノン
イスラエル
シリア
エルサレム
ヨルダン川西岸
ガザ地区
パレスチナ自治区
エジプト
ヨルダン

---

*2【ユダヤ人に対する迫害】＝欧州でキリスト教が広がると、ユダヤ人はキリストを処刑した人たちとみなされ、迫害されるようになった

など重大な課題をすべて先送りした形であるだけに、一時の和平に終わりかねない危うさが付きまといます。

　不安材料としてはガザ地区とヨルダン川西岸地区へのユダヤ人の入植が継続されていたこと、評議会議員に選出されたPLOメンバーに不正が多かったこと、ガザ地区に限り武装闘争の継続を唱えるイスラム抵抗運動（ハマス）への支持が高まっていたことなどが挙げられます。

　出入国規制の大幅な緩和により、旧ソ連からイスラエルへ移住するユダヤ人が急増していることから、彼らの住む場所と生活の糧をどうするかも大きな問題となりそうです。

◉

　以色列くんとの関係改善は一歩進んだが、巴勒斯坦くんはモヤモヤしている。それもそうだ。2人でひとつの椅子に座りながら、以色列くんは正式な生徒で、自分はそう認められていない。世界学校で、彼らが仲良くひとつの椅子を共有し合う……そんな光景を目にすることができるのだろうか……。

矛盾だらけの！イギリスの「三枚舌外交」

第一次世界大戦中の
「三枚舌外交」

●ユダヤ人には……パレスチナの
ユダヤ国家建設を支持すると約束。
目的は戦費の調達

●アラブ人には……オスマン帝国と
戦えば、パレスチナを含むアラブの独立を
支持すると約束

●同盟国フランスとは……戦争終結後は
分割するという協定を秘密裏に結ぶ

矛盾！

＊3【パレスチナ】＝地中海の一番、東の沿岸にある地域。2000年ほど前、ユダヤ人の王国がローマ帝国に滅ぼされユダヤ人が追い出された地でもある

第三次台湾海峡危機で緊張が走る

学校での勢力拡大を目指す中国と
台湾&亜米利加(アメリカ)がアジアクラスで対立

　丸くて大柄な中国くんと細身の台湾くんは兄弟で、かつては一緒に生活していた。以前から微妙な関係だったが、去年の夏頃からなんだか危うい。中国くんが台湾くんに向かって消しゴムを投げるのだ。悪質ないたずらで、消しゴムは顔すれすれを通過するが、かすりでもすれば喧嘩になる……。すると、「僕が相手をしよう」とばかりに、亜米利加(アメリカ)くんが立ち上がった。

中国 僕としては、兄弟一緒に生活したいんだけど……

　冷戦終結のムードは1985年から漂い始めていました。いずれアメリカの外交政策が一変することを察した台湾（中華民国）の蒋経国(しょうけいこく)総統は、約40年続いた戒厳令を1987年に解除。政治的自由化と大陸の中華人民共和国との交流解禁に踏み切ります。

　蒋経国は1988年に死去、政権を引き継いだ李登輝(りとうき)は中国政府の統一交渉の呼びかけに対し、とりあえず台湾に住む人々の権益や安全、福祉の擁護を前提とした「台湾優先」を掲げるにとどめました。大陸側も海峡両岸関係協会（海協会）を設立させ、台湾側が受け入れやすいレベルと形式から交流を始めるなど、拙速を避けました。

　しかし、台湾海峡の久方ぶりの雪解けムードも1995年6月に一変。非公式に訪米した李登輝が母校コーネル大学での記念講演で、台湾に中華民国が存在することを国際社会が受け入れるよう呼びかけたことをきっかけに、中国政府は一気に態度を硬化させます。

●**1996年の日本の出来事**＝総選挙で自民復調、単独内閣誕生。薬害エイズの問題で国も謝罪。O157が猛威を振るい、総患者数は6000人を超える

中国政府は、あらゆるメディアを通じて李登輝非難の大キャンペーンを展開。同年7月から1996年3月まで台湾近海で中国人民解放軍（中国軍）による大規模な軍事演習とミサイル発射演習などを繰り返します。これが第三次台湾海峡危機で、

「台湾に喧嘩を売るのは、自分に喧嘩を売るのと同じ」

　とばかりに、アメリカは第7艦隊の空母インディペンデンスとニミッツの2隻を台湾海峡に派遣、中国を軍事力で牽制しました。

　局地的とはいえ、米軍との武力衝突は中国政府としても避けたいのが本音。1979年の中越戦争[*1]で、中国軍の装備が時代遅れのものであることが浮き彫りになっていました。ベトナム軍が持つソ連製の兵器に歯が立たなかったのです。ましてや、アメリカ製の兵器を相手にしたらどうなることか……。

　また、1991年の湾岸戦争で披露された米軍の最新兵器の数々に、中国政府は度肝を抜かれたことでしょう。中国としては軍の近代化がある程度達成されるまで、米軍との直接対決は避けるべきでした。

◉

　亜米利加くんの頭のなかにあるのは、自らがトップとして君臨する一強体制の維持。蘇聯邦（チームソ達）ほどの脅威ではないが、金も体力もあり、頭が良く成績が上がる一方の中国くんは要注意だ。

「台湾くんにはアジアクラスで、中国くんの防波堤になってもらわないと」

　亜米利加くん、台湾くんへの支援を惜しむつもりはない。

台湾 過去2回のプチ喧嘩と違い、今度はちょっとヤバかった（冷）

　台湾海峡危機[*2]は1950年代に二度起きています。砲撃戦が展開されましたが、互いに日時を通告し合い民家への直撃を避けるという奇妙なもので、中台間に黙契があったと囁かれています。

　その頃のアメリカ政府は、蔣介石（しょうかいせき）に替えて自国に従順な人物をトップに擁立、台湾を独立させることを狙っていました。しかし、

*1【中越戦争】＝1979年2月に起き約3週間で終わる。中国はベトナム北部の要衝を陥落させたが、ベトナム軍に反撃され前進はおろか戦線維持がやっとだった

宿敵同士の毛沢東と蒋介石は「ひとつの中国」を悲願とする点では一致していたから、アメリカの目を欺き、頓挫のために一芝居打ったというのです。

これに対し第三次台湾海峡危機はシナリオが存在しないもので、広い意味では中国政府が着手した海洋進出の一環でもありました。

中国国内には民主化を求める声が渦巻いており、力による弾圧には限界がありました。そこで最高指導者の鄧小平は不満のエネルギーをナショナリズムと金儲けに向けさせることでガス抜きを図ろうと、経済活動の自由化と海洋進出に乗り出したのです。1992年1月に実施した南巡講話[＊3]と2月に制定の領海法は、そのための第一歩でした。

尖閣諸島（釣魚台）と南沙・西沙両諸島の領有を明記した領海法は、日本やフィリピンなどとの関係悪化を招く恐れをはらんでいましたが、当時はそこまで考慮する余裕がなかったようです。

第一次と第二次の台湾海峡危機で最も得をしたのは蒋介石で、アメリカが擁立をもくろんでいた陸軍総司令の孫立人も失脚させ、権力を盤石にすることができました。

これに対し、第三次の危機で最も得をしたのは李登輝です。中国海軍による露骨な示威行動下に実施された記念すべき第1回直接総統選挙では、中国政府の批判キャンペーンが逆に追い風となり、予想を上回る得票率で当選を果たすことができたのです。

初の民選総統となった李登輝は「新台湾人」という概念を打ち出し、台湾内部の融和を本格化させます。

それまでのスクール・カーストでは、国共内戦に敗れて逃れてきた国民党関係者（外省人）を最上位とし、それ以前に福建省南部から移住してきた漢民族（本省人）が二番手、福建以外からの移住者が三番手、平地を追われて山岳部に居住する先住民が最下層でした。「新台湾人」は過去のわだかまりを捨て、ひとつの民族になろうという呼びかけだったのです。

「ひとつの中国」に固執する中国政府は、この台湾の動きを苦々

＊2【台湾海峡危機】＝第一次が1954〜55年に、第二次が1958年に起きる。台湾統治下の金門島と馬祖島を舞台に砲撃戦が展開された

しく思いますが、アメリカが後ろ盾では強い態度には出られません。第三次台湾海峡危機で現実を目の当たりにした中国は、軍事力の裏づけを手にするために海軍の近代化を加速させるのでした。

●

「今のような宙ぶらりんがいちばん。これが僕の本音だけど……」

それは、金持ちの中国くんと付き合いつつ亜米利加くんから最大限の援助を引き出せるからだ。しかし、中国くんは本気で「一緒に生活を」と考えている。台湾くんの苦悩はまだまだ続く……。

海洋への勢力拡大を目指す中国

第1・2列島線は中国が自国の勢力圏の拡大を目標とする、海洋上に独自に設定した
軍事的防衛ライン。台湾は第1列島線内の中央に要衝として位置する

＊3【南巡講話】＝鄧小平が1992年初頭に、湖北省、広東省、上海など中国南部の諸都市をめぐって開いた講話。各地で改革開放の加速を呼びかけた

世界学校の環境改善の第一歩は
亜米利加（アメリカ）の離脱で早くも頓挫!?

　このところ、世界学校では教室のエアコンの設定温度が問題となっている。建物の構造上、教室を冷やすと廊下など学校全体の温度が上昇してしまうのだ。暑がりに寒がりがいて、どうするか話がまとまらない。とりあえず「全員薄着になって、エアコンの設定温度を上げる」までは決まったが、「どれだけ薄着にするの？」と、その基準が曖昧なままなのだ。

イギリス他 たしかに、そもそもの責任は僕らにあるが……

「二酸化炭素が増えれば気温が上昇し、地球温暖化につながる」

　今から半世紀前、この論理を世界に先駆けて発表した真鍋淑郎（まなべしゅくろう）博士は2021年にノーベル物理学賞を受賞しました。以降、地球温暖化や気候変動の研究が進んだことを思えば、真鍋博士の受賞は当然のことと言えますが、肝心の対策のほうは牛歩の状態です。

　1992年、初の国際的な取り組みとして「気候変動枠組条約」が締結されますが、「温暖化防止のため大気中の温室効果ガスの濃度を安定化させること」が掲げられ、先進国と全締約国に課す義務の輪郭が示されただけで、具体的な数値目標は先送りされました。

　その点を詰めるために開催されたのが、1997年の「気候変動枠組条約第3回締約国会議（COP3）」です。開催地が日本の京都であったことにちなみ「地球温暖化防止京都会議」とも呼ばれ、この会議で採択された決議も「京都議定書」と俗称されます。

　地球温暖化の元凶とされたのは6種の温室効果ガス[＊1]で、

● 1997年の日本の出来事＝山一証券、拓殖銀行などが破綻。神戸連続児童殺傷事件が起きる。消費税5％がスタート。サッカーW杯初の本大会出場

2008年からの４年間に、先進国全体で温室効果ガスの排出量を1990年水準比で5.2％削減するという内容です。

　先進国にだけ目標を課したのは、罪の自覚からでした。産業革命で先陣を切ったイギリスを筆頭とする先進国は、いち早く工業化を図り、植民地や半植民地に工業製品を売りつけ、大儲けをすることで先進国になれたのです。そのため、京都議定書にも「歴史的に排出してきた責任のある先進国が、最初に削減対策を行うべき」と明記されました。

　とはいえ、発展途上国の排出量を完全に放置しては意味をなさないので、先進国の投資により排出量が減った分に関しては、先進国のポイントと認める「クリーン開発メカニズム」[＊2]や「排出量取引制度」[＊3]など、双方に得がある柔軟策も設けられました。

　およそ国際条約というものは、それぞれの代表が本国へ持ち帰り、議会と政府の批准を経て初めて有効となります。地球温暖化は全人類の共通の危機であるはずですが、地球温暖化と二酸化炭素との因果関係を認めない声もあれば、地球温暖化は一時的な自然現象だから放置して問題なしとする声などもあり、批准国が規定数に達して、京都議定書が発効されるまでに８年もの歳月を要しました。

◉

「薄着にする？　僕はNO！　今のスタイルは変えないよ！」
　そう宣言して話し合いから降りたのは、なんと亜米利加くん。おかまいなしに、近くのエアコンで設定温度を下げまくり、ギンギンに冷やしている。一強リーダーの彼にしてみると、他の誰かの主導で話が決まるのは面白くないのだ。

中国・インド　成長する僕らに足かせするのが目的じゃないの？

　1990年代は中国やインドが著しい経済成長を遂げ始めた時期にあたります。温室効果ガスの排出量も激増したはずですが、当の

＊1【温室効果ガス】＝二酸化炭素、メタン、一酸化二窒素、ハイドロフルオロカーボン、パーフルオロカーボン、六フッ化硫黄からなる

両国は京都議定書を完全に他人事と見ていました。

「地球温暖化の原因が温室効果ガスならば、うまい汁を吸い続けた君たち先進国は模範を見せるだけでなくて、全責任を負えば？」

そう考えたのが理由ですが、発展途上国の工業化に足かせをはめようとするなど言語道断。途上国に経済力で追いつかれ、追い抜かれるのを避けるための嫌がらせではないのか──。大真面目でそう語る政治家が、中国とインドでは当時から少なからず存在しました。

少し先走りますが、2001年に政権についたアメリカのブッシュ（息子）も、自国経済への悪影響などを理由に、京都議定書への不支持を表明しました。アメリカでは成長産業と斜陽産業の明暗が顕著で、京都議定書の内容を遵守しようとすれば、斜陽産業の代表格である製造業が大打撃を被り、壊滅しかねない状況にあったからです。

本来、製造業は消費者のニーズに合うものを提供するはずですが、アメリカではいつしか、改めるべきは消費者側の嗜好で、アメリカは今までどおりの設備とやり方で問題なしとする考えが強まりました。アメリカが他国や国際社会に命令することはあっても、その逆はあり得ない、断じてあってはならないというのです。

また、アメリカには地球温暖化対策を不要とする声が宗教界から聞こえてきます。プロテスタント系カルトからは、世界の終末時には神がすべてリセットしてくれるから、地球をいくら汚しても問題ない、全面核戦争も大歓迎だ、との声も聞こえているほどです。

これは2019年の統計ですが、二酸化炭素の排出量は中国がトップで世界全体の29.5％を占めます。2位のアメリカが14.1％、3位のインドが6.9％、ロシアが4.9％で4位、日本が3.2％で5位（JCCCAのデータ）ですから、少なくともここに挙がった国々の参加は必要最低条件でした。

かくして新たな国際会議が開催され、2015年に「パリ協定」が

＊2【クリーン開発メカニズム】＝先進国が途上国で地球温暖化対策を実施した場合、その削減分の一部を自国の目標達成に利用することができる制度

採択されますが、地球温暖化対策に否定的だったアメリカのトランプ政権は協定から脱退します。バイデン政権は復帰の意向を示していますが、復帰をしても協定通りに実行されるかは不透明です。

◉

「エアコンの設定温度どうする？」問題は、生徒全員の足並みが揃わないと解決に向かわない。亜米利加くんも態度を軟化させつつあるが、いつ、コロっと態度が変わるやら。そうこうしているうちにも、教室以外の学校の施設は、ジリジリと温度を上げつつある……。

＊3【排出量取引制度】＝各国の削減目標達成のため、先進国同士が排出量を売買する制度

ヒンドゥー至上主義のもと核実験を強行

独立の父の理念から舵を切った
アジアクラスの巨象・印度(インド)の素顔

　大きな体格に落ち着いた風貌。「巨象」がニックネームの印度(インド)くんは、かつて世界学校における非暴力主義の象徴だった。だが、「それは昔話。学校の情勢が変われば、私だって変わりますよ」

　そう、さらりと言ってのける。では、何が彼を変えたのか？　どう変わったのか？　印度くんの現在の素顔とは？

インド　これでも昔は学校中の尊敬を集めていたよ(笑)

　国土面積は北欧を除くEU全域に匹敵。そこに約14億人が暮らし、179の言語と544の方言が用いられる国——それがインドです。多民族国家であるために憲法には国語の規定はなく、中央政府が公用語に指定したヒンディー語は話者人口がインドで最大とされますが、それでも総人口の4割程度。そのため、かつての支配者であったイギリスの英語が準公用語として重宝されています。

　外務省の最新データによると、宗教別の教徒の比率はヒンドゥー教徒が79.8％と圧倒的で、イスラム教徒も14.2％を占めており軽視できない存在です。キリスト教徒が2.3％、シク教徒は1.7％、ジャイナ教徒は0.4％ですが、経済界は彼ら少数派の独壇場に近い状態。また発祥の地でありながら、仏教[＊1]が総人口に占める割合はわずか0.7％です。

　さらにインドといえば、カースト制度も忘れてはなりません。「カースト」は西洋人が命名したもので、現地では「色」を意味する「ヴァルナ」という言葉で表現されます。

●1998年の日本の出来事＝和歌山市でカレーヒ素混入事件が起きる。完全失業率が過去最悪になり戦後最悪の不況が続く。長野冬季五輪開催

バラモン[*2]を頂点とする４つの身分の下に、人間にはカウントされない不可触民がいて、総人口の10〜15％を占めています。４つのヴァルナも大まかな目安にすぎず、日常的にはヴァルナをさらに細分化させたジャーティーという区分が、職業の選択や結婚に立ちはだかる見えない壁となっています。

インド独立の父マハトマ・ガンディーは高い理念を持ち、イギリスからの独立に加え、宗教間の融和やカースト制度の根絶を願っていました。しかし、インドとパキスタンの分離独立から５カ月後、イスラム教徒に譲歩しすぎるとの理由でヒンドゥー至上主義者に暗殺されました。

それでもインド政治をリードする政党がガンディー創設のインド国民会議派であることに変わりはなく、ガンディーの後継者となったネルーのカリスマ性もあって、1962年までの３回の選挙ではインド国民会議派がいずれも45％以上の得票率を維持、連邦下院の７割以上の議席を獲得するなど、確固たる立場にありました。

◉

印度くんは隣席の巴基斯坦（パキスタン）くんと仲が悪い。互いに巨体で肩がぶつかり合うことも多く、入学時から「何だよお前！」と関係は最悪。しかも、巴基斯坦くんは、あの“究極の武器”を開発しているらしい。だとしたら、自分も対抗するしかない。また、二大ボス対立時代の終焉後、変わっていく他の生徒の姿を見て、印度くんは思っていた。
「“非暴力主義”の理念は素晴らしいが、巴基斯坦くんと対抗するために、現実的な手段を考えてみるか……」

インド あの２人に対抗するために“究極の武器”が必要なんだ

インド国民会議派はガンディーの悲願を引き継ぎますが、パキスタンとの対立が続き、カースト制度の根絶にも成果を上げられないため支持率は低下。党内の路線対立や相次ぐ離党騒ぎがこれに拍車をかけます。1960年代後半以降、インド国民会議派の衰退

*1【インドの仏教】＝出家に絶対的価値を置く教えが民衆の願いと噛み合わず、ヒンドゥー教の台頭、イスラム勢力による破壊活動などで少数派へと転落した

は顕著となり、1998年には得票率で26％にまで落ち込みます。

これとは対照的に支持率を伸ばしたのが、インド人民党（BJP）です。ヒンドゥー至上主義を掲げる団体、民族奉仕団（RSS）[*3]のフロント政党で、1977年の憲法改正で前文に「セキュラリズム（政教分離主義）」が明記されたため、ヒンドゥー至上主義を前面に押し出す露骨な差別政策は控えていますが、宗教政党に違いありません。

BJPの躍進には前兆がありました。1992年にインド北部のアヨディヤで起きたモスク破壊事件がそれです。

アヨディヤのモスクは460年の歴史を持つ古建築でしたが、その地がヒンドゥー教神話上の英雄ラーマの故郷との理由から、過激なヒンドゥー教徒からなる暴徒がモスクを襲撃して破壊してしまいます。

跡地にはヒンドゥー教寺院を建設することになるのですが、破壊行為の責任はおろか、土地の所有権に関しても当局の判断や対応は公正とは言えません。すべてがヒンドゥー至上主義を支持する、過激な世論に引きずられ進んでしまいます。

東西冷戦の終結で火のついた自制なき民族主義の潮流はインドへも波及し、世界最大の民主主義国家インドをも、「理念よりも、数の力だ！」という形で蝕み始めていたのです。

1996年、BJPは初めて第一党となり組閣に着手しますが、わずか13日で崩壊。しかし、BJPがインド国民会議派に匹敵あるいは凌駕する組織に成長したことは明らかで、党幹部の経歴や顔ぶれからも、従来の政党との違いは明らかでした。

独立以来、国政政党の幹部はイギリスかアメリカへの留学経験を持ち、よどみない英語を操るのが当然でした。ところがBJPの幹部は留学経験もなければ、英語もからきしダメ。既存の国際秩序に背を向け、我が道を行くのが大きな特徴となっています。

1998年には、BJPを中心とする連立政権が成立。インドとパキスタンが核実験を強行して、核保有国である事実を示したのはそ

＊2【バラモン】＝バラモン教（ヒンドゥー教の前身の宗教）やヒンドゥー教の司祭階級の総称

の年5月。世界はまたひとつ、新たな不安要素を抱えることになったのです。

◉

　印度くんはやはり隣席の中国くんとも仲が悪く、小競り合いもしばしばだ。互いに体格がよく、肩がぶつかったり、投げ出した足で相手をつまづかせたりする。そんな彼らを、世界学校の生徒たちはヒヤヒヤしながら見ている。

「3人とも"究極の武器"を持ってるからなぁ……」

　それを使うことはないと信じたいが、誰も確約はできない。

インドと中国、パキスタンの国境紛争

●中国が領有権を主張する
インドの実効支配領域

アフガニスタン

中国

パキスタン

ネパール

ブータン

●カシミール地方の紛争地帯
1947年にカシミール地方の帰属
をめぐり、インドとパキスタンで戦
争が起きる(第一次印パ戦争)
↓
1949年、国連の調停で「停戦ラ
イン」が引かれる
↓
1962年に中国が一部を実効支配
↓
1965年、1971年に第二次、第
三次印パ戦争が発生
↓
インド、中国、パキスタンにより分
割統治されている

インド

バングラデシュ

インド北東部

＊3【民族奉仕団】＝1925年に創設。従来は高位カーストを支持基盤としたが、近年では下位カーストにも浸透。モディ現首相は過去に学生団体代表を務めた

エリツィン時代が終焉しプーチンが登場

露西亜が自らの力不足を認め世界学校は新たな局面を迎えた

「二大ボス対立時代に、蘇聯邦は亜米利加くんと互角の成績だった。そのリーダーなのだから、露西亜くんは勉強ができるはず」

世界学校の誰もがそう信じていたが、それは大きな誤りだった。蘇聯邦の勉強法では実力がつかず、授業のレベルが上がるにつれて付いていけなくなったのだ。今では、「こんな問題も理解できないの？」と、露西亜くんは完全に落ちこぼれ扱い。そんな露西亜くんが生徒たちを前に、今までの不甲斐ない自分を反省するかのように、深刻な口調で語り始めた……。

ロシア 自分の実力がこんな程度とは思わなかったよ……

「皆さんに許しを請いたい。我々が簡単だと思ったことが実は大変苦しく困難だったからだ。灰色の停滞した全体主義の過去から、明るく文明的な未来へ一足飛びに移るという希望は実現しなかった」

1999年12月31日、テレビで辞任表明をしたロシアのエリツィン大統領は、国民に向けて言葉を選ぶように連ねました。自らの判断を誤りだったとしたのですが、それはエリツィンだけではありません。

宇宙開発や原子力、軍事技術などの分野でも世界最高水準で、人材も天然資源も豊富。そんなロシアの生産が停滞する原因は、非効率な計画経済と官僚支配が原因で、社会主義と決別して市場経済を導入すれば、短期間で先進国の仲間入りを果たせる。エリ

●1999年の日本の出来事＝東海村核燃料加工会社で国内初の臨界事故が起きる。住友・さくら銀合併、第一勧銀など3行統合。臓器移植法に基づく初の脳死移植実施

ツィンの支持者も、西側の自称ロシア通も同じような思考パターンで楽観視していました。しかし、現実はまったく異なりました。

経済は混乱し、国民生活は発展途上国レベルにまで低下。通貨のルーブルは信用を失い、企業間では物々交換のバーター経済が普通となり、汚職と犯罪が跋扈します。

日本のバラエティー番組には笑いのネタにされ、アメリカなどの先進国からは対等な相手と見なされません。年金はおろか、日々の生活費にさえ窮するような状況は、アメリカと覇を競った大国の時代を知る国民にとっては大きな屈辱でした。

その最大の原因は、契約を守る、信頼を重視するといった、市場経済を機能させる基本的な文化や心理の欠如にあります。しかし、プライドが高い人間は、得てして的確な指摘を認めません。

しかも、1994年12月に始まる第一次チェンチェン紛争[＊1]においてロシア軍の醜態が世界中にさらされたことも、1995年にロシア政府がNATOとの「平和のためのパートナーシップ」[＊2]に加盟したことも、過去の栄光を知る世代にとっては、やはり屈辱的なことでした。

1998年8月には政府が事実上のデフォルト（債務不履行）を宣言します。そして、その直後から原油価格が高騰に転じ、ロシア国民にも多少のゆとりが生まれますが、問題は治安でした。

成り上がりの新興財閥は、金で元軍人などからなる私兵集団を雇って身を守れますが、一般国民は国家権力に頼る他ありません。国民が早急に求めたのは規律・秩序・安定の3点。今は無政府状態でも、強い指導者が現れ国家権力を回復させてくれれば、少なくとも生命の安全は確保されるだろう……。一般的な犯罪だけではなく、国民にとって無差別な爆弾テロも大きな脅威だったのです。

●

「独逸も仏蘭西も、よく毎日、予習と復習をできるもんだな」

露西亜くんは最近、つくづくそう思う。蘇聯邦では丸暗記に一夜漬けが当たり前で、自分に染みついた学習習慣を変えるのは、

＊1【チェンチェン紛争】＝ロシアからの分離独立を目指すチェチェン共和国との紛争。第一次紛争ではソ連崩壊後のロシア軍の深刻な弱体化を露呈させた

もはや不可能に思えてきた。しかし、亜米利加くんや欧州クラス
の優秀な生徒との学力差は開くばかり……。かつてはボスとして
君臨した彼のプライドは、著しく傷ついていた……。

ロシア いつかもう一度、形を変えて誰もが認める強者になる!

　エリツィンの健康不安は早くから囁かれていましたが、テレビ
の会見映像だけでは病気なのか、ただ酔っ払っているだけなのか
判別がつきませんでした。それが1999年の大晦日、68歳という日
本の政治家ならまだまだという年齢で、任期を数カ月残して辞任
表明したのです。

　そして、大統領代行に指名されたのは、同年8月に首相に就任
したばかりのウラジーミル・プーチンでした。

　首相就任時もそうですが、このときも、「プーチンって、何者?」
という空気が内外に漂いました。KGBの出身ということ以外、さ
したる素性が知られていなかったからです。しかし、47歳と若
く、国民の目には「これまでの指導者とは違うホープ」に映った
ことでしょう。

　実際には首相就任時から大統領権限の代行者であったとされ、
同年9月の爆弾テロ事件にも素早く対応。チェンチェン武装勢力
による犯行と判断して、第二次チェチェン紛争へと踏み切ります。
このときは戦況も有利で政府に対する国民感情も大幅に改善され、
プーチンのデビューは停滞ムードからの脱却と重なりました。

　2000年の選挙で正式な大統領に選出されたプーチンは、秩序の
回復にとどまらず、「どんな独裁者でも無秩序状態よりはマシ」と
する機運に乗じて中央集権体制の回復、さらには報道の自由への
抑圧を開始します。ロシアの裏庭に当たる旧ユーゴスラビア、ジ
ョージア、ウクライナでの影響力回復も視野に入れていたようで
すが、具体的な行動を起こすのはまだ先になります。

　それにしてもプーチンのデビュー前後の状況には、できすぎの
感が拭えません。事実、ジャーナリストのアンナ・ポリトコフス

＊2【平和のためのパートナーシップ】＝NATOと旧ソ連構成国を含むNATO非加盟欧
州各国間の、軍事面を中心とする各種協力を強化するための枠組

カヤ[＊3]などは、1999年9月に起きた一連の爆弾テロ事件はチェンチェン人武装勢力の犯行ではなく、プーチンの密命を受けた治安組織による自作自演との見方を取り、自説に確信を抱いていたようです。

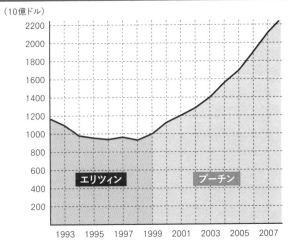

「勉強はもういい。これからはスポーツで存在感を示してやる！」
　翌年、年が明けると露西亜くんは柔道部に入部し、メキメキと頭角を現した。筋肉は引き締まり、冷徹なまなざしには不気味な自信がみなぎっている。そして、この頃からすでに、露西亜くんは自分の将来像を思い描いていた。
「もう一度、強く大きな自分を取り戻す！　そのときは腕力で！」
　その後、露西亜くんはかつての蘇聯邦の仲間、いや、子分たちに対して、高圧的な態度を取るようになっていく……。

ロシアのGDPの推移（1993〜2007年）

（10億ドル）

2200
2000
1800
1600
1400
1200
1000
800
600
400
200

エリツィン　　プーチン

1993　1995　1997　1999　2001　2003　2005　2007

プーチンは原油価格が底値を打ったタイミングで大統領に就任した

※IMF World Economic Outlook Database,
October 2009;2010 data from Rosstatを参考に作成
※数値は2008年のドル為替で換算したもの

1
9
9
9
年

＊3【アンナ・ポリトコフスカヤ】＝第二次チェチェン紛争やプーチンに反対し、批判していた独立系のジャーナリスト。2006年10月に暗殺された

Column 1

世界の平和維持と国際協力を目指す機関
「国際連合」が今、直面する問題とは？

　1914年に始まる第一次世界大戦は欧州全土に深い傷跡を残しました。戦場が広大な範囲に及び、動員された人数も史上最大を記録しましたが、それ以上に当事者たちを震撼させたのは、数々の新兵器の登場にともなう死傷者数の劇的な増加でした。

　それまでは必要悪ととらえていましたが、やすやすと死体の山ができるようになっては、さすがに戦争の抑止について考えざるをえなくなります。そのために創設されたのが国際連盟ですが、国内世論の反対を受けてアメリカは加盟せず、全会一致を原則としたことから緊急かつ適切な対応ができないなど問題が多く、日本に続いてドイツ、イタリアが脱退するに及び、事実上の機能停止に陥ってしまいました。

　国際連盟の失敗を反省点として、第二次世界大戦後には国際連合が結成されます。大国がすべて顔を揃えなければ実効力に欠けますが、一国一票の原則は変えられず、そこは戦勝国で構成される常任理事国に拒否権を与えることで解決されました。

　安全保障理事会は国際連合の主要機関で、略して安保理とも呼ばれます。アメリカ、イギリス、フランス、ロシア（かつてはソ連）、中国の常任理事国5カ国と、非常任理事国10カ国からなり、そこでの決議は全加盟国を拘束すると定められていましたが、常任理事国は賛成多数で可決された案件に拒否権を行使し、廃案にする特権が与えられていたのです。

●

　しかし、さすがに拒否権の付与は安易でした。常任理事国が公正な態度に終始するなら、滅多なことで拒否権を発動するはずな

どない──。そんな淡い期待は見事に裏切られ、常任理事国は自国のかかわる、あるいは同盟国のかかわる案件に対して、いささかも戸惑うことなく拒否権を発動しました。

このため冷戦中には国連が存在感を見せられる場面は限られました。冷戦終結後、ようやく真価を試される機会が訪れ、湾岸危機に際しての対応は世界から肯定的に受け止められます。安保理の決議にもとづき、アメリカを中心とする多国籍軍が問題の解決にあたり、国際平和を維持する形ができたと思われたからです。ところが、ソマリアでの平和維持活動が失敗に終わると、早くも暗雲が立ち込め始めます。

2001年のアメリカ同時多発テロ事件は、アメリカの関心を再び世界へ向けさせましたが、自信を回復してきたロシア、自信をつけてきた中国、米英と一定の距離を保つフランスと、各常任理事国が国際政治と国際経済に対する野望を隠さず、足並みがまたも揃わず、国連の活動に大きな支障をきたしました。

◉

問題は常任理事国に限りません。先進国や新興国でも人権問題で勧告を受けている案件を抱えながら、真摯に対応しているようには見えない事例が多く見受けられます。内政干渉をしないのが原則ですが、軽視や無視が常態化しては勧告の意味がなく、これまた解決の難しい問題と言わねばなりません。

国連の改革を叫ぶ声は多くとも、有効な具体案が出された試しはありません。もっとも必要なのは、常任理事国の拒否権発動に制限を加えることですが、特権を持つ国にそれを手放させようというのですから、これは相当の難題です。改革が進まないなら脱退してしまえ、拠出金を減らせという乱暴な声もあるようですが、それは何の解決にもなっていません。

再び世界大戦を経験しないことには、何ひとつ前に進めないのかと思うと絶望的になりそうですが、私たちは何としてでも踏ん張らないといけない時期に差し掛かっているようです。

暴力に訴えるか平和的
強者と弱者の軋轢が広

◉ 2000−2012年の世界の主な出来事

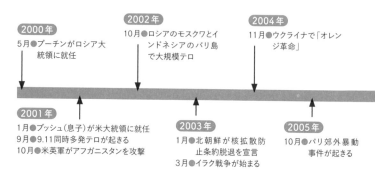

2000年
5月●プーチンがロシア大統領に就任

2002年
10月●ロシアのモスクワとインドネシアのバリ島で大規模テロ

2004年
11月●ウクライナで「オレンジ革命」

2001年
1月●ブッシュ(息子)が米大統領に就任
9月●9.11同時多発テロが起きる
10月●米英軍がアフガニスタンを攻撃

2003年
1月●北朝鮮が核拡散防止条約脱退を宣言
3月●イラク戦争が始まる

2005年
10月●パリ郊外暴動事件が起きる

◉ 第2章の主な登場人物 ⋯⋯⋯⋯⋯⋯⋯⋯

●国連先生
暴走気味の亜米利加くんが、最大の悩み。また、このところ頻発する、テロ喧嘩も頭痛のタネ

●仏蘭西くん
「誰でも愛する素敵な人」。それが彼のイメージだが、心の奥には「差別」という病を抱え苦しむ

●北朝鮮くん
なかなかの食えない男。日本くんを挑発するが、狙いはその背後にいる亜米利加くんへの牽制だ

●阿富汗斯坦くん
かつては蘇聯邦に支配されそうになり、最近はタリバン軍団の支配を受け、身も心も安定しない

●亜米利加くん
すっかり傲慢になり、ある集団に恨まれテロ喧嘩を仕掛けられてしまう。そこから暴走が始まり……

●中国くん
学力に加え財力もアップして、世界学校での勢力を拡大中。だが、「約束破り」の悪い癖がある

●日本くん
北朝鮮くんの挑発に日々、頭を悩ませている。また、お金に関する知識に自信を無くしつつある

●烏克蘭くん
かつていた蘇聯邦の暗いイメージからの脱却のため、独逸さんたちのライフスタイルをまねる

続発するテロ、アメリカの暴走、民主化への渇望、金

行動か？
がる世界学校

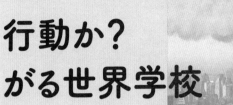

旅客機の衝突による炎上で黒煙を上げるワールドトレードセンター

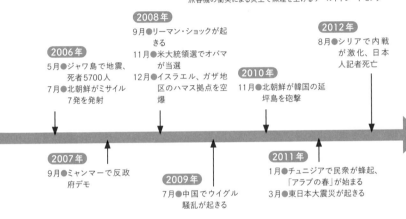

2006年
5月●ジャワ島で地震、死者5700人
7月●北朝鮮がミサイル7発を発射

2007年
9月●ミャンマーで反政府デモ

2008年
9月●リーマン・ショックが起きる
11月●米大統領選でオバマが当選
12月●イスラエル、ガザ地区のハマス拠点を空爆

2009年
7月●中国でウイグル騒乱が起きる

2010年
11月●北朝鮮が韓国の延坪島を砲撃

2011年
1月●チュニジアで民衆が蜂起、「アラブの春」が始まる
3月●東日本大震災が起きる

2012年
8月●シリアで内戦が激化、日本人記者死亡

●草支亜さん（ジョージア）
元蘇聯邦のメンバー。やはりイメチェンにチャレンジ中で、彼女にとってそれは、もはや「革命」

●亜剌比亜首長国連邦（U・A・E一族）
注目度上昇中の金満ハイスペック集団。「金持ち喧嘩せず」が基本方針だがキナ臭い噂も……

●叙利亜くん（シリア）
伊拉久くんと並ぶ中東クラスの問題児。土耳古くんなどと人間関係が複雑で、もめ事が絶えない

●亜米利加を憎む者たち
宗教的な聖地を踏みにじった亜米利加くんにテロ喧嘩を仕掛ける。危険な集団だが支持者はいる

●緬甸さん（ミャンマー）
演劇部で活躍する知的な美女。独断専行の自分の性格に悩み、それを変えようと奮闘する

●突尼斯くん（チュニジア）
もめ事の多いアラブ仲間のひとり。典型的な独断専行タイプだったが、その姿勢を改めようとする

●回鶻さん（ウイグル）
正式な生徒ではなく、中国くん率いるチームのメンバー。中国くんの支配的な態度に反抗する

●チームNATO
蘇聯邦とその子分の腕力に対抗するために、亜米利加くんや英吉利くんたちが結成したチーム

融危機……憎悪と欲望の波が世界を飲み込む

聖地を踏みにじられたイスラム過激派の怒り

無礼者・亜米利加(アメリカ)を
憎む者たちの攻撃が始まる

「いや〜、バレるとは思わなかった。甘かったよ」

　世界学校公認の彼女がいるのに別の娘と浮気をして、二股がバレて学校中の大ひんしゅくを買った亜米利加(アメリカ)くんは頭を掻いた。もっとも、世界学校でしっかりリーダーぶりを発揮しており、評価は上々。だが気になることがあった。自分に向けられた、憎しみに満ちた視線。そして、自分を狙う者が学校にいる……。

アメリカ ちょこまかと攻撃を仕掛けてくるのはいったい誰だ!?

　アメリカはクリントン政権の8年間、未曽有の好景気に湧きました。目玉の外交での失敗も一点だけ。2000年7月、イスラエルとパレスチナ間の和平交渉のため、両代表をアメリカのキャンプデービッド[*1]に招き2週間も会談したのですが、何の成果も上げられなかったのです。しかし、この点を除けば外交でもポイントを重ねました。

　さて、アメリカが繁栄を謳歌するなか、ある人物の活動が活発になります。2001年9月11日にアメリカを襲った、同時多発テロ事件の首謀者サウジアラビア人のオサマ・ビンラディンです。

　このテロ事件で、国際テロ組織アルカイダ[*2]とビンラディンは誰もが知る存在となりますが、それまでは、日本でも一部のアラブ・イスラム研究者のみが知る人物でした。

　彼の名が最初に世に知られたのは、1994年2月。サウジアラビアの大財閥ビンラディン・グループの総裁がアラブ圏のメディア

●2000年の日本の出来事＝小渕恵三首相が倒れ、森連立内閣発足。有珠山と三宅島が噴火。シドニー五輪でマラソンの高橋尚子らが金メダル獲得

を通じて、オサマ・ビンラディンを一族から追放すると宣言したのです。

　理由は、スーダンで養成したテロリストをアフガニスタンに送り込んでいたこと、1992年12月のイエメンのアデンで起きたホテル爆破事件への関与などでした。ホテルには米兵約100人が滞在していたのですから、彼らを狙ったテロであるのは明白でした。

　幸いにして、この時は難を逃れた米兵ですが、翌年10月にはソマリアの首都モガディシオ近郊で待ち伏せ攻撃に遭い、20人近くが死亡、70人以上が負傷する大きな被害を受けています。これについて、ビンラディンは関与を臭わす発言をしていました。

　この件もあって、サウジアラビア政府は1994年4月に、

「この男に対する責任は負えない！」

　とばかりにオサマ・ビンラディンの国籍を剥奪。しかし、当人には気にする様子もなく、1996年5月には「血は水よりも濃い」という意味深な言葉を残して母国をあとにし、アフガニスタンの9割を実行支配下に置くタリバンから客人として迎えられます。

●

「奴を我々の聖地から追い出してやれ！」

　これが亜米利加くんを憎み、狙う者たちの合言葉だ。

　彼らは静かに誓った。自分たちは小さな存在だが、大きな計画だって実行できるし、亜米利加を倒すことだってできる。そのために自分たちは素顔を隠し、誰にも気づかれないように水面下で準備をする。そして、なるべく相手の近くから攻撃するのだ……。

アメリカを憎む者 アメリカを攻撃する、それが我々全員の責務だ！

　ビンラディンはイスラエルとアメリカを目の敵（かたき）にしますが、のちに1996年8月23日に発せられた信者へのメッセージが注目されます。通常、こういったメッセージには「バスマラ」というアラビア語の定型句を冒頭に入れるのですが、この日のビンラディンはいきなり本題を切り出したのです。

＊1【キャンプデービッド】＝ワシントンの北西部カトクティン山脈にある大統領専用の別荘。人里を離れており、首脳会見の場所としても使用されてきた

内容はムスリムが実行せねばならない義務についてで、最初に信仰を挙げたのはわかるとして、次に二大聖地を有するサウジアラビアから米軍を駆逐することが挙げられていました。

「敵はシオニスト・十字軍連合」としていますが、シオニストはイスラエル国家と世界に散らばるユダヤ人、十字軍連合はアメリカとその同盟国を指すと思われ、まさに、宣戦布告に等しいものでした。また、石油資源を危険に晒してはならないとの理由から、実践行為としてはゲリラ戦とアメリカ製品のボイコットを指定していました。

　このメッセージは内輪で発せられたものですが、欧米では徐々にビンラディンへの関心が高まり、1997年2月、ビンラディンはとうとう西側のテレビに初めて主役として登場します。

　イギリスのローカル局に出演し、「アメリカ人を殺せるなら他のことに関わりあっている場合ではない」と発言。これでさらに知名度を上げたか、5月にはアメリカのCNNに出演し「サウジアラビアから退去しなければ、民間人であっても安全は保障できない」と警告の強度を上げていきます。

　1998年になるとビンラディンの発言はさらに過激化して、同年2月のメッセージでは、「民間人であれ軍人であれ、アメリカ人を殺害するという裁定は、どこの国にいようと、それが可能であるならば、すべてのムスリムに個別に割り当てられた目標である」と、軍人と民間人を区別せず、アメリカ人であれば無差別に殺すよううながします。

　同年6月にはアメリカの3大ネットワークのひとつ、ABCテレビの番組で、「我々は軍服を着ている者と民間人を区別しない」と同じ内容を繰り返しますが、アフリカのケニアとタンザニアのアメリカ大使館で同時爆破テロが起こり、数千人の死傷者が出たのはそれから2カ月後、8月でした。さらに、2000年の10月には、イエメンのアデン港に停泊中の米軍の駆逐艦コールに対する自爆攻撃も起き、米兵17人が死亡、約40人が負傷します。

＊2【アルカイダ】＝正確な組織名は「カーイダ」。日本では英語の「the」に相当する「アル」をつけた「アルカイダ」の読みが定着した

同年11月に実施されたアメリカの大統領選挙では、「クリントン=ルインスキー・スキャンダル」[＊3]の影響もあり、共和党のブッシュ（息子）が僅差で勝利を収めます。世界が注目した選挙戦でしたが、それを横目に、ビンラディンはアメリカを標的にした計画を進めていくのです。

●

自分を憎む者が時々小石を投げてくる。だが亜米利加くんは思った。
「奴らは神出鬼没で厄介だが、僕に比べれば小さな存在じゃないか。そんなことより、他の奴らとのこれからの付き合い方を考えないとな」
心機一転したアメリカ君は、すでに来年の世界学校をどう牛耳るかを考えていたが……。

ビンラディンを受け入れた「タリバン」とは？

1978年にソ連が軍事介入し共産政権を設立。
「ムジャヒディン」と呼ばれるイスラム勢力がソ連に抵抗

欧米や隣国パキスタンの支援を受けて、ソ連軍は1989年に撤退

1994年に「タリバン」結成！
目的＝国内の秩序や治安を回復、外国の勢力を排除

アフガニスタンが混乱して難民が押し寄せるのを恐れたパキスタンが支援

1996年に国土の大半を支配下に収めるが、
女性への教育禁止など極端な行動が理由で国際社会から孤立

客人として受け入れることと引き換えに、ビンラディンから資金的な支援を得たという

＊3【クリントン=ルインスキー・スキャンダル】＝クリントン大統領の不倫スキャンダル。次期大統領選で民主党のアル・ゴア候補にとって逆風となった

アメリカ同時多発テロ事件発生

亜米利加中心の世界学生連合がタリバン軍団を打倒する!

2001年9月11日8時45分——亜米利加（アメリカ）くんが校門をくぐった瞬間、事件は起きた。大きな石が亜米利加くんの頭に投げつけられたのだ。石は2つ目、3つ目と続いて投げられ命中した。4つ目は当たりはしなかったが、亜米利加くんは崩れ落ちるようにその場に倒れた。彼を憎む正体不明の者による早朝の奇襲に、世界学校の生徒たちは戦慄した……。

アメリカ こんな攻撃を食らったのは生まれて初めてだったよ……

　クリントン米大統領（当時）は、アフリカでの同時爆破テロがビンラディンとアルカイダによる犯行であるとわかると、スーダンとアフガニスタンにあったアルカイダ関連施設へミサイル攻撃を仕掛けさせます。しかし情報不足から、さして戦果を上げることはできませんでした。

　第43代大統領となったジョージ・ブッシュ（息子）は、ことごとくクリントンの逆をいく方針であったせいか、ビンラディンとアルカイダに関して完全にノーマーク。それだけに、2001年9月11日に起きた同時多発テロ事件は寝耳に水で、第一報を耳打ちされたときには、いったい何事か理解できずにいたようです。

　ハイジャックされた4機の国内線旅客機のうち2機がニューヨークの世界貿易センタービル、1機がワシントンの国防総省に突っ込み、同じくワシントンに向かっていた1機が空軍機により撃墜され、死者の総数は約3000人にも及びました。突入の瞬間やビ

──────────

● 2001年の日本の出来事＝小泉政権発足、構造改革がスタート。雅子さまが女児ご出産。大阪池田小児童殺傷事件が起きる。デフレ進行、失業率5％台へ

ルが倒壊する映像も衝撃的でしたが、それ以上にアメリカ人を驚愕させたのはアメリカ本土、それも政治と経済、軍事の中枢が標的とされ、一度期のテロとして前例のない人命が失われたという事実です。

ハイジャックの容疑者19人は全員アラブ人で、15人はサウジアラビア国籍。犯行声明を出す組織は現れませんでしたが、ブッシュ政権はビンラディンとアルカイダによる犯行と決めつけ、彼らを匿っているタリバンに対して身柄の引き渡しを要求します。

しかし、ビンラディンが同時多発テロの主導者であるかに関係なく、ビンラディンの身柄引き渡しは無理な相談でした。内陸アジアの牧畜民の習慣として、客人として受け入れたからには、たとえ肉親を殺した敵であっても守り切るのが、好漢たる者の務めだったからです。

徹底した追跡調査により、ハイジャック犯は日本史で言う「くさ」に近いことがわかってきました。敵地に長期潜入をする工作員のことで、アラビア語では「眠り人」を意味する「ナーイム」と呼ばれます。

作戦の遂行を第一に、その日が来るまでムスリムであることを隠し、髭を剃りモスクへも通わず、人前で礼拝をすることもない。時には酒を飲み、異教徒の女性と付き合うことも許されていました。警戒されないためには、そこまでやる必要があったのです。

◉

亜米利加くんを襲ったのは「アルカイダ軍団」。亜米利加くんを憎む者たちが結成した反亜米利加武闘派戦闘グループで、しかも、タリバン軍団が彼らを匿っている。

「あいつら、蘇聯邦（チームソ連）との喧嘩では支援してやったのに！」

二大ボス対立時代、亜米利加くんは蘇聯邦と戦うムジャヒディンと名乗っていた頃の彼らを支援していた。それが仇になり怒り爆発の亜米利加くんはタリバンをぶちのめすことを宣言。そんな亜米利加くんを世界学校の多くの生徒は支持した。

＊1【十字軍】＝中世の西欧で、イスラム勢力から聖地エルサレムを奪回するという名目で行われた遠征

大多数の生徒 「打倒タリバン軍団」を僕らは支持する！

　明白な証拠はないものの、状況証拠からビンラディンが首謀者であることは否定のしようがなく、国連安保理やNATO、EUなどがテロへの非難決議を採択、ロシアや中国を含む60カ国以上の国々がアメリカを支持します。ブッシュは勢い余って、

「アメリカは世界のムスリムを相手に、十字軍[＊1]の戦いを仕掛ける！」

　と表明しますが、中東に加えパキスタンやインドネシアなど世界中のイスラム国家で抗議行動が起きます。そして、パキスタンでキリスト教会が襲撃されたのを見て、慌てて撤回しました。

「敵の敵は味方」の論理から、アメリカは北部の一角を死守していた反タリバン勢力の連合体、北部同盟[＊2]に武器と資金を与え、死傷率の高い地上戦を任せることにしました。アメリカの動きを読んでか、同時多発テロ事件の2日前、北部同盟の総指揮をとるマスード将軍は自爆テロにより殺害されますが、大勢に影響はありませんでした。

　米英軍は軍事作戦を10月7日に開始。インド洋の艦船から飛び立った戦闘爆撃機や、潜水艦などから発射された巡航ミサイルなどハイテク兵器を駆使した攻撃の対象は、首都カブールの国防省や各地の飛行場、アルカイダの訓練所などが中心でした。

　形勢が不利なのを見てタリバンに加担していた軍閥兵[＊3]が続々と離反を始め、北部同盟に投降する者も続出。これに力を得た北部同盟は一気に攻勢へと転じ、11月にはカブールの奪回に成功します。

　ソ連のアフガニスタン侵攻が泥沼化したことから、アメリカが同じ轍を踏むのではと危惧されました。しかし、両国の戦いには決定的な違いがありました。アメリカは目的を軍事的勝利に特化し、短期間でタリバン政権を崩壊させることができたのです。

　ソ連が政治的な変革に執着したのと好対照ですが、アメリカの

＊2【北部同盟】＝アフガン北部を本拠地とする反タリバン勢力。タジク人やハザラ人など複数の民族が結集し、パシュトゥン人主体のタリバンに対抗した

やり方にも問題がありました。タリバン政権を倒したあと、どうするのか？　明確な出口戦略を描いていなかったせいで、ずるずると撤退が遅れ、ブッシュ政権の国際戦略は出鼻をくじかれたのでした。

　今もなお奇襲攻撃のダメージから、痛む頭を抱える亜米利加くん。だが、ケガよりも気になるのが、阿富汗斯坦（アフガニスタン）くんの今後についてだ。阿富汗斯坦くんからタリバン軍団を追い払ったものの、これからどうするのか、考えねばならない。なんだか長引きそうな、嫌な予感もする……。

タリバン政権崩壊後のアフガニスタン

2001年12月にタリバン政権が崩壊。暫定政権が発足。
しかし、2005年頃からタリバンが勢いを取り戻す

2011年5月、
米軍がビンラディンを殺害

2017年、トランプ米大統領が米軍を増派させ空爆を強化

2020年2月、タリバンとアメリカが和平合意に調印。
アルカイダとの関係を断ち切ることが盛り込まれた

2021年8月30日、米軍が
アフガニスタンからの撤退を完了

2022年8月、アメリカがアルカイダの指導者ザワヒリ容疑者を
殺害と発表。タリバン幹部は「(タリバンは)アルカイダとの
関係はない」と表明するが真実は不明

＊3【軍閥】＝軍人の私的集団。1992年の共産党政権の崩壊後、アフガニスタン各地で軍閥が群雄割拠して内紛を繰り返した

ブッシュ米大統領が「悪の枢軸」発言

亜米利加（アメリカ）の問答無用の犯人捜しと
世界学校内で吹き荒れるテロの嵐!

「話を聞くつもりはない! 怪しい奴は全員ボコってやる!」

亜米利加（アメリカ）くんの怒号が世界学校に響き渡った。あまりにも強引で見境のない襲撃犯探しの手法は波紋を呼び、罪なき生徒が襲撃犯の汚名を着せられる危険すらあった。そんな亜米利加くんの横暴ぶりに世界学校の生徒たちはドン引きし、

「そりゃ怒るのもわかるけど、リーダーがこれじゃマズいよ……」

とオロオロするばかり。だが、もはや誰も彼の暴走を止めることはできなかった……。

アメリカ アメリカの正義のためなら、何をやっても許される!

「アメリカの安全とアメリカ人の生命を第一に。そのためなら人権の侵害を含め、何をしても許される!」

ブッシュの姿勢は、のちにドナルド・トランプが掲げた「アメリカ・ファースト」と相通ずるところがありました。

タリバン政権を崩壊させながら、ビンラディンの行方は不明なまま。2011年5月1日に米軍に殺害されるまで、アフガニスタンとパキスタンを何度も往き来しながら、逃亡・潜伏生活を続けます。パキスタンの国軍や情報機関の関与も疑われていますが、それに加え、両国にまたがり居住するパシュトゥン人から客人として受け入れられていたからこそ可能な逃亡劇でした。

ブッシュ政権はビンラディンを始末するためなら手段を選ばず、懸賞金をかけて密告を奨励。アルカイダのメンバーか協力者と思

●2002年の日本の出来事＝初の日朝首脳会談、拉致被害者5人が帰国。東京株式がバブル後最安値。日韓共催のサッカーW杯で日本初のベスト16

しき人物を片端から捕えては、キューバのグアンタナモ米軍基地[*1]にある施設に送還しました。捕虜でも犯罪者でもない第三の存在とされた彼らは、捕虜の待遇に関する国際条約であるジュネーブ条約の適用外で、弁護士を付けることも許されず、独裁政権下のごとき拷問にも曝されました。

この施設は、2006年の2月と5月、国連から閉鎖勧告がなされました。6月には米連邦最高裁が同施設の在り方は憲法違反との判決を下すものの、政府は聞く耳を持ちませんでした。

アフガニスタンでの戦闘が早く終えたことで、ブッシュは気が大きくなったのでしょう。2002年1月の一般教書演説で今後も「テロとの戦い」は続くとしたうえで、テロ支援、大量破壊兵器の保有、人権・自由の抑圧などを根拠に、イラクとイラン、北朝鮮の3国をアメリカにとって脅威となる「悪の枢軸」[*2]と名指ししたのです。

この3国が反発したのはもちろんですが、アメリカの味方となるか敵となるか、第三の選択はないと迫るブッシュ政権の姿勢には、さすがに世界の多くがドン引き。唯一の超大国がこの有様ではと、戸惑いや反感が渦巻き、アメリカに対するリスペクトや期待、憧れが急速に冷める大きなきっかけとなりました。

◉

「誰が俺の襲撃を企てたんだ？ 必ず探し出してやる！」

かつての紳士的な振る舞いは姿を消し、言葉遣いも荒くなった亜米利加くんは、今日も鬼の形相で大荒れだ。しかも伊拉久くん、伊蘭くん、北朝鮮くんを一方的に「三悪人」と名指しで敵視している。たしかに3人とも問題はあるが、「それは言い過ぎ」と世界学校の生徒たちは、亜米利加くんを冷めた目で見ていた。だが、やっぱり誰も彼を止められない……。

インドネシア 僕もテロで大変なダメージを被った

不幸にも「テロとの戦い」は現実と化します。同年10月、ロシ

---

*1【グアンタナモ米軍基地】＝1898年の米西戦争でアメリカの援助を得てスペインから独立したキューバ新政府は、グアンタナモ基地の永久租借を認めている

アとインドネシアで多くの死傷者を出すテロ事件が発生したのです。

　モスクワで発生したのは、チェンチェン共和国の独立派武装集団による劇場占拠事件でした。42人の武装集団は922人を人質にとり、ロシア連邦軍のチェンチェンからの撤退を要求。しかし、治安当局は回答期限の10月26日早朝に特殊部隊による強行作戦を敢行。武装集団を全員射殺しますが、突入の際に使用した有毒ガスで、129人の人質が死亡する最悪の結果となりました。

　インドネシアでテロが起きたのは10月12日。バリ島の繁華街、多くの外国人観光客が集まるディスコ前の路上です。車に仕掛けられた爆弾が爆発し202人が死亡、200人以上が負傷する大惨事となりました。実行犯はアルカイダとも関係の深い、東南アジアのイスラム過激派組織「ジェマア・イスラミア」と判明しています。

　インドネシアは世界最大のイスラム国家 [＊3] です。しかしバリ島は例外中の例外で、住民の大半はヒンドゥー教徒。しかも世界屈指のリゾート地とあれば、イスラム過激派の目には堕落した人間が集まる汚れた地としか映りません。汚れた地に集う汚れた集団を粛正するのは神の正義にかなう。それがイスラム過激派の論理でした。

　この事件で改めて注目されたのが、イスラム過激派の国際的なネットワークです。すべてがアルカイダから資金・武器の援助、軍事訓練を施されたとは現実的に考えにくく、アルカイダと協力関係にある、あるいは、アルカイダを手本とした組織が無数に存在すると理解するのがよさそうです。

　このためメディアでは「アルカイダ系」という微妙な表現が多用されますが、ピラミッド型の統一組織がないだけに、世界の治安当局は対応に頭を悩ませています。中国を例外として、インターネットの世界を含めた国民総監視システムを築き維持するなど、予算的にも人員的にも無理があるからです。

●

＊2【悪の枢軸】＝英語表記は「axis of evil」。「axis」(枢軸)は共同してアメリカに敵対する国々の意味だが、指摘された3国には特に連携はない

　暴力禁止の世界学校だが、生徒たちのぶつかり合いはどうして
も避けられず、校内での喧嘩は日常茶飯事だった。だが、喧嘩の
形態も変わりつつあった……。

　国連先生はそう痛感し、昨年からある取り組みを行っていた。
これまで、奇襲を主とするテロ喧嘩については個々の生徒に対応
を任せていたのだが、生徒会としても対応することになったのだ。
だが、テロ喧嘩に走る者は明確なグループを作っておらず、しか
も突如仕掛けてくるので、対応には限界があった。

世界の主なテロ組織と国連の取り組み

アルカイダ (イスラム過激派)
南西・南アジア／アフガニスタン

ISIL (イスラム過激派)
中東・北アフリカ／シリア

**イスラム・マグレブ諸国の
アルカイダ (イスラム過激派)**
中東・北アフリカ／アルジェリア

アル・シャバーブ (イスラム過激派)
アフリカ (サハラ以南)／ソマリア

ボコ・ハラム (イスラム過激派)
アフリカ (サハラ以南)／ナイジェリア

新人民軍 (フィリピン共産党)
東南アジア／フィリピン

ヒズボラ (イスラム過激派)
中東・北アフリカ／レバノン

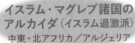

国連の取り組み

テロ行為への資金提供の取締まり、国を越えた法律執行への協力、
インターネット悪用への対処などを各国に呼びかけている

※組織名、活動地域と主な拠点。参考：公安調査庁ホームページ

＊3【世界最大のイスラム国家】＝インドネシアの人口は約2.7億人で世界第4位。その
8割強がムスリムであり、人口の点で世界最大のイスラム国家となる

イラク戦争と浮き彫りとなったアメリカの無策

他生徒が異議を唱えるなか
亜米利加(アメリカ)は独断で制裁を強行!

「皆が知らないだけで、あいつはポケットに危険な武器を隠してるんだよ!」

亜米利加(アメリカ)くんはかつてのように、生徒会が団結して伊拉久(イラク)くんを制裁するよう主張した。理由は危険な武器の所持。だが、今回は仏蘭西(フランス)くん、独逸(ドイツ)さん、露西亜(ロシア)くんなど多くの生徒が異議を唱えた。

「そうか……わかった。お前たちがそういうつもりなら、俺が独自の判断で対処しよう」

亜米利加(アメリカ)くんは英吉利(イギリス)くんと大洋州クラスの濠太剌利(オーストラリア)くんを率いての、伊拉久(イラク)くん制裁を宣言。今度も誰も止められない……。

アメリカ イラクの野郎は武器を隠している、それが制裁の理由だ!

ブッシュ米大統領は「悪の枢軸」と並び「ならず者国家」という言葉も多用しました。これなら声高に反米を叫ぶ国家を、いくつでも含むことができます。それにしても「悪の枢軸」の３国はどういう基準で選んだのでしょうか。イランと北朝鮮は反米姿勢と核開発、大陸間弾道弾[＊1]の開発といった点で説明できますが、イラクは少々難題です。

湾岸戦争で父ブッシュがサダム・フセインにとどめを刺さなかったことを後悔して、息子に託したという理由は私情に過ぎません。同時多発テロ事件に際しアメリカに弔意を示さず、イラク国営放送が「アメリカがこれまで犯してきた人道に対する犯罪への

● 2003年の日本の出来事＝自衛隊イラク派遣決定、戦闘下で初。衆院選で与党が絶対安定多数、二大政党化進む。りそな、足利銀行に公的資金

当然の仕打ち」と賞賛したことに対し怒りを覚えたというのも、やはり感情論です。

　イラクが再び軍事大国化すれば、イスラエルにとって脅威となる。それを防止するためとの説もありますが、共和党は民主党ほどユダヤ票への依存度が高くないので、これまた説得力に欠けます。そうなると、有力な仮説は以下のふたつに絞られます。

　アメリカがイラクに対して経済制裁を続けているあいだ、ロシアやフランスに利権を押さえられ、将来的に経済制裁を解除したときにはアメリカ企業の入り込む余地がない。ゆえに、すべてを白紙に戻すには現体制を打倒するしか選択肢がなかったという説。あるいは、タリバン政権の崩壊が予想外に早く、イラクでの軍事行動でも、金と時間がさしてかからないのではとの楽観論が高まり、勢いで行動に出たとする説です。

　たしかにブッシュは、タリバン政権崩壊直後に「大量破壊兵器を開発する国も〈テロに対する戦い〉の対象となる」と声明を出し、イラクへの軍事作戦を匂わせています。

　今回は国連決議もなく、フランスやドイツ、ロシア、中国などが最後まで反対。しかし国内で楽観論が強まり、攻撃支持が多数派になった今がチャンスとの判断から、米軍を主力に、イギリス軍やオーストラリア軍などを加えた有志連合という形で開戦に踏み切ります。2003年3月20日のことで、「イラクの自由作戦」と命名されました。

◉

　伊拉久くんを制裁した亜米利加くんだったが、その思惑はもろくも崩れ去った。制裁の理由とした、肝心の武器が出てこないのだ。（これはマズい。もっともらしい名目を考えないと……）仲間の冷たい視線を感じる亜米利加くんが思いついた名目が、これだった。「伊拉久くんはヤンキーで皆が怖がっているし、今どきヤンキーなんて格好悪いし、彼のためにも正してあげようと思って……」
　これには世界学校の生徒の誰もが、唖然とした。

─────────────────────────────
＊1【大陸間弾道弾】＝ICBM。陸上基地から発射可能で、射程距離が8000キロメートル以上の核弾頭を運搬する弾道ミサイル。直接、敵の中枢を標的にできる

イラク アメリカの主張は言いがかり！ 俺は潔白だ！

　この戦闘も４月９日にバグダードが陥落し、事実上終了します。逃亡していたサダム・フセインも同年12月13日に身柄を拘束され、少なくともアメリカ政府内のネオコン[＊2]勢力では、イラク問題はすべて解決したかのごとき空気が支配的となりました。しかし、大義名分の大量兵器の所持は確認されず、ブッシュ政権は「イラク人民を独裁者から解放した」との論点ずらしに出ます。

　独裁者は倒しましたが、そもそも多くの国がイラク戦争に反対したのは経済的な利権だけの問題ではありません。戦後処理に関して適切なアイデアがなかったからです。バアス党による一党独裁を打倒したあと、イラクの政治体制をどうするつもりなのか？ この点に関して何の腹案もないことは、ブッシュも当初から認めていました。

　湾岸戦争での多国籍軍による武力行使の停止後、イラク北部でクルド人[＊3]、南部ではシーア派の反政府暴動が拡大しましたが、イラク政府が武力で弾圧するのを多国籍軍が座視したため、無残にも鎮圧されてしまいます。その過去があるため、総人口の６割を占めるシーア派住民もアメリカに対して不信感を抱き、穏健派の人々も面従腹背というのが実情でした。

　イラクの総人口の約２割を占めるクルド人は、米軍の駐留を歓迎しました。しかし、彼らはトルコ、イラン、シリアなどにまたがって居住する民族のため、トルコ政府からはクルド人国家の成立やクルド人の武力強化に対し、懸念の声と警告が発せられることになります。

　また、サダム・フセインが率いたバアス党はスンニ派優遇政策を貫いたため、シーア派住民のあいだでは報復をせずにはおかないとする空気が支配的でした。このような状況下で普通選挙を実施すれば、シーア派が過半数の議席を占めるのは確実です。スンニ派が完全に政権から締め出され、シーア派優遇政策が実施され

＊2【ネオコン】＝新保守主義。自由放任主義を強調しながら、キリスト教との密接な関係を重視する、1970年代後半からアメリカで支配的となった政治的潮流

たらどうなるか？　将来像が描けないのです。

　中東やイラクを専門とする研究者たちはイラク戦争前から連名で、破綻国家になりかねないとの警告を発していました。しかし、日本も含め、イラク戦争を支持した国の政治家は耳を貸しませんでした。

　アメリカ世論も「イラク人民のために良いことをした」との満足感に浸っており、これから起こる悪夢をまったく予想できなかったのです。

　亜米利加くんに散々ボコられた伊拉久くんは、ヤンキー魂を完全に失っていた。文字通り魂が抜けたような伊拉久くんは、まるで覇気がない。そして、その心の隙を狙うように、ある者たちが近づいてきていた。それが後年、世界学校を恐怖に陥れることになる、ISIL軍団だった。

各国はなぜイラク制裁に反対したのか？

北部では複数の国にまたがり居住するクルド人が支配的

シリア
イラク
イラン
バグダッド
ヨルダン
サウジアラビア
クウェート

南部ではスンニ派を嫌うシーア派が支配的

サダム・フセインが率いたバアス党はスンニ派を優遇。
総人口の6割を占めるシーア派が不満を溜める

しかも、湾岸戦争のこともあり、米軍は信用されていない

⬇

フセインによる独裁を取り払うだけでは混乱を招く！

＊3【クルド人】＝トルコ、イラン、イラク、シリアにまたがる山岳地方に住む農耕遊牧民族。クルド語を話しイスラム教徒が多くを占める

2004年 ▶

欧州のカラー革命とNATOの拡大

烏克蘭と草支亜が目指す
暗い蘇聯邦のイメージからの脱却

「蘇聯邦を色にたとえるなら、灰色かな。それも黒に近い（笑）」

烏克蘭くんと草支亜さんは冗談を言い合っていたが、2人は元「蘇聯邦」のどこか暗いキャラから脱却したいと本気で思っていた。

「僕は明るい色のパーカーを着ようかな」

「私は花柄のトップスにする！」

色はどうする、デザインは？　などと2人は盛り上がり……。

ウクライナ　僕はオレンジ色をシンボルにするつもりだ

民主主義と市場経済への移行に対し文化的な基盤が欠如していたのはロシアに限らず、バルト3国を除くソ連から独立した諸国に共通する課題でした。普通選挙が実施されてもまともな指導者は現れず、どの国でも国民は独裁と腐敗にうんざり。その結果起きたのが「カラー革命」と総称される大衆による政変劇でした。

ウクライナでは2004年11月、大統領レオニード・クチマの引退表明にともない大統領選挙が実施されました。与党で親ロシア派のヴィクトル・ヤヌコビッチと、野党で親欧米派のヴィクトル・ユシチェンコ[*1]との一騎打ちです。

開票結果は、ヤヌコビッチが49.64％、ユシチェンコが46.61％で、ヤヌコビッチの勝利と発表されましたが、その直後に与党陣営による大がかりな不正が発覚、全国で大規模な抗議行動が展開されます。野党支持者のシンボルがオレンジ色であったことから、マフラーからジャケットまで、誰もがオレンジ色の何かを振りか

●2004年の日本の出来事＝新潟県中越地方で震度7の地震。サマワ（イラク）への自衛隊派遣が1年延長の決定。アテネ五輪で金メダル史上最多タイの16個

ざしました。「オレンジ革命」と呼ばれる抗議行動です。

　アメリカとEUのメディアがこぞって与党陣営の不正について報道したこともあり、ウクライナの最高裁判所は選挙のやり直しを決定します。12月26日に実施された再選挙の結果はユシチェンコが51.99％、ヤヌコビッチが44.20％と、ユシチェンコの勝利に終わりました。

　クチマはヤヌコビッチを後継者にするつもりで首相に任命していたのですが、クチマは反体制派ジャーナリスト暗殺事件への関与などを疑われ、内外から強く批判されていました。そのクチマから後継指名されていたことが、ヤヌコビッチの最大の敗因であったかもしれません。

　いずれにしても、天然ガスをロシアに全面依存するなど、ロシア頼みの部分が多いだけに、当初から前途多難が予想されました。

●

「少しでも亜米利加（アメリカ）くんや独逸（ドイツ）さんたちに近づかないと……」

　そう言って烏克蘭（ウクライナ）くんは、亜米利加くんお薦めの参考書を開いた。勉強法や生活習慣などいろいろと変えなければ、亜米利加くんや欧羅巴連合（EU学習会）のメンバーとは話がかみ合わない。一方で、露西亜（ロシア）くんとどう付き合っていくかも重要だ。手を切りたくても、隣の席に座り、ときおり威圧的な視線を送ってくる……。烏克蘭くんの前途には、あまりにも多くの困難が待ち構えていた……。

ジョージア　私はバラの花を手に次の時代に進もう

　ウクライナでオレンジ革命が起きた前年、グルジア（ジョージア）では「バラ革命」が起きていました。

　抜群の知名度に加え、独立直後の混乱を収束させたエドゥアルド・シュワルナゼ[＊2]が、1995年11月の大統領選挙では77％もの得票率を得て、正式な大統領に就任。EUからの援助を取り付け、落ち込んだ経済を立て直してくれると期待されました。

　世界貿易機構（WTO）への加盟などは大きな得点でしたが、い

＊1【ヴィクトル・ユシチェンコ】＝銀行家の出身。クチマ大統領から首相に登用されるものの、解任後は野党へ転身。「我らのウクライナ」を結成し代表となる

まだエネルギー資源の供給と出稼ぎ労働者の派遣先としてロシアに依存していることに変わりありません。また、ビザ制度の導入が大きな打撃になります。非ジョージア系住民の多いアブハジアと南オセチアの住民はロシアへ入国する際にビザ不要で、彼らにはロシアの市民権も認められており、近い将来、沈静化していた分離運動が再燃する恐れがあったのです。

ジョージアは2001年には事実上の債務不履行に追い込まれますが、シュワルナゼの親族だけは利益を貪っていました。シュワルナゼ下ろしの空気のなかで2003年11月の総選挙を迎えます。

総選挙は投票直前まで予断の許さない展開でした。しかし、シュワルナゼがロシアの企業にパイプラインや電力供給の権益を売却したことがジョージアのナショナリストたちを刺激。投票日を目前にして、首都のトビリシで抗議行動が行われます。

総選挙の結果、与党は勝利しますが、野党は開票作業に不正があったとして抗議行動を開始。議会ビルを占拠した群衆がバラの花を手にしていたことから「バラ革命」と呼ばれます。

同月23日、シュワルナゼが退陣し革命は勝利に終わりますが、ジョージアもロシアに依存する部分が多いため、不安を抱えての新たな船出でした。

また、2005年には中央アジアのキルギスでチューリップ革命が起こります。目の敵にされたのは独立以来、大統領の座に居続けたアスカル・アカエフ[＊3]。実績が皆無ではありませんが、政権の長期化にともなって独裁色を強め、汚職の蔓延に加え、野党への弾圧や報道統制を強化したのが命取りとなりました。

ジョージアとウクライナは早くからNATOへの加盟意志を表明していました。ロシアによる再統合を恐れたからです。

NATO側はすでに旧東欧諸国の加盟を認め、東方への拡大姿勢を隠しませんでしたが、これにはふたつの意図があります。ひとつは東欧諸国の不安を除去するため、もうひとつは旧ユーゴスラビアを反省の糧に、欧州で再び戦争が起きるのを未然に防ぐため

＊2【エドゥアルド・シュワルナゼ】＝1976年からソ連邦共産党中央委員、ゴルバチョフ政権下の1985年より党政治局員兼外相を務めた

です。

　二度の世界大戦を経験した西欧では、自国が戦場と化すのを恥じとする考え方が強くなっていたのです。

◉

「ウソだろ、今年だけでも７人がチームNATOに加わったって !?」
　バルト３兄弟をはじめ、斯洛伐克さん、羅馬尼亜くんなど昔の子分がオセロ返しのように亜米利加くんの仲間になっていく。自分が彼らから嫌われ恐れられているのはわかるが、
「あいつら、俺を追い詰める気かよ……」
　と露西亜くんは密かに恐怖を覚えていた。

中欧・東欧のNATO加盟の推移

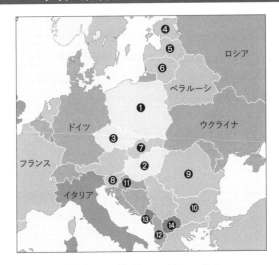

1999年＝❶ポーランド　❷ハンガリー　❸チェコ

2004年＝❹エストニア　❺ラトビア　❻リトアニア　❼スロバキア
　　　　❽スロベニア　❾ルーマニア　❿ブルガリア

2009年＝⓫クロアチア　⓬アルバニア

2017年＝⓭モンテネグロ　2020年＝⓮北マケドニア

＊3【アスカル・アカエフ】＝工学博士でコンピュータの専門家。中央アジアの改革派指導者として長年に渡って政権を握っていた

2005年 ▶

パリ郊外暴動事件に見えたグローバル化の闇

誰でも愛する人のはずの仏蘭西が
自らの病「差別」で身を焦がす!

「基本的にいろんな人を受け入れる、素敵な人」

　それが世界学校での、仏蘭西くんの評判だ。誰とでも付き合い、芸術を愛しスポーツも得意なのだから憧れる生徒も多い。だが、彼はある悩みを抱えていた。それが「差別」という病だ。いつもの明るい表情が消え、全身を掻きむしるように苦しんでいる。「あの仏蘭西くんが、こんなことに……」と世界学校の生徒は愕然とした。仏蘭西くんの体内に巣食う差別が暴れ始め、自身を焼き尽くそうとしていた!

フランス 誰でも受け入れる僕だって、矛盾を抱えている

　2002年に日韓合同で開催されたFIFAワールドカップにおけるフランス代表の顔ぶれに、驚きを感じた人は多かったことでしょう。主将のジネディーヌ・ジダン、ティエリ・アンリなど、ラテン系でない選手が多数を占めていたからです。

　しかし、フランスは世界中に植民地[*1]を有したので、不思議なことではありません。マグレブと呼ばれるエジプトより西の北アフリカ地域、サハラ砂漠以南の西アフリカ地域、カリブ海の西インド諸島などで、ジダンの両親はマグレブのアルジェリア、アンリの父親は西インド諸島出身でした。

　これを見ると、フランスは移民受け入れの成功例に思えます。しかし、2005年10月末にパリ郊外で発生した暴動が全国に波及したことは、フランスの移民問題を世界に知らしめました。

●2005年の日本の出来事＝衆院選で自民圧勝、郵政民営化法成立。JR福知山線で脱線事故、107人死亡。マンションなどの耐震偽装が発覚

暴動の発端は同月27日、パリ北郊において、警察の尋問から逃走した３人の若者が隠れ込んだ変電所内で感電し、そのうち２人が死亡したことにあります。３人ともマグレブの出身でした。

　この一件が報道されると、パリでは移民第２・第３世代を中心とする若者が異議申し立てを表明するために放火や投石を行い、それはフランス全土に波及します。11月半ばに沈静化するまでに、放火された乗用車は9000台を超え、幼稚園を含む公共施設の破壊もかなりの数に及び、逮捕者の数は3000人近くに達しました。

　当時のフランスの人口は約6200万人。そのうち移民は約430万人を数え、そのうちマグレブ系住民の数は約300万人と、移民全体の７割近くを占めていました。

　これにはアルジェリア独立戦争[＊2]が関係します。フランス寄りの人間の多くが身の安全を求めてフランス本土への移住を希望。フランスも道義的な責任に加え第二次世界大戦後の労働力不足もあり、希望者とその家族を積極的に受け入れたのです。

　フランスは出生地主義の国ですから、移民の第２・第３世代も自動的にフランス国籍を取得できます。しかし、アイデンティティに関しては疑問符が付きました。

　流暢なフランス語を話し、フランス語の読み書きに何の不自由がなくても差別がなくならず、賃金の良い業種に就職することができない。そんな状況が続けば、同化への努力が馬鹿馬鹿しくなり、学習意欲が薄れるのも無理はありません。

◉

　相手がどのクラスの生徒であっても、その個性や価値観を認める──。これが、仏蘭西くんが大切にしてきた人付き合いでの理念だった。しかし最近、この理念が重荷になってきたのを感じる。趣味など自分とは違う価値観を持つ生徒も多く、本当は彼らの趣味に興味がないのに、あたかも興味があるふりをする。素晴らしい理念を掲げたつもりだが、僕の本音は違うのでは……。いつか反動が来る嫌な予感がした。

２００５年

＊1【フランスの植民地】＝20世紀初頭までにアフリカ北部、西部、中部、カリブ海の西インド諸島、東南アジアのインドシナ半島へと拡大していった

フランス 方針を変えた理由のひとつが人材獲得競争だった

　ジダンのようにスターとなり、フランス国民からの尊敬を集め、莫大な金銭を手にできるのは一握り。低賃金の単純労働しか仕事がない家庭では貧困の連鎖が続きがちで、貧困と差別が重なれば、彼らは大都市でも郊外に身を寄せ合うしかなく、彼らに必要なのは希望か鬱積の発散でした。そして、暴動への参加は鬱積の発散のひとつの手段だったのです。

　当時、内相の任にあったニコラ・サルコジ[*3]は、暴動に参加した若者を「社会の屑」「ごろつき」と呼んで物議を醸しました。サルコジも移民2世ですが両親は欧州系で、移民のなかでも勝ち組と言えます。マグレブ系移民への蔑視も強く、治安対策は強化しながら貧困問題には目もくれず、2006年には政府に選択的移民政策を提案します。

　有能な技能・資格や修士以上の学位の保有者に対して滞在許可を与えるいっぽう、家族の呼び寄せやフランス人との結婚による滞在許可をこれまでより厳しくするといった内容で、同年6月にはサルコジの案を骨子とした新移民法が成立します。

　この背景には世界的な人材獲得競争があります。英語圏ほどではないにせよフランス語圏の国際的規模も大きく、優秀な人材を一から育てるより、他から持ってくるほうが即戦力になり効率的だからです。

　国際労働市場として最大規模の英語圏では、IT技術者や科学者に加え、医師と看護師の争奪戦が過熱気味です。

　最も希望が殺到するのはアメリカで、2番目は湾岸産油国。南アフリカ共和国からは湾岸産油国へ出向く者が多く、抜けた穴はバングラディシュやアフリカでも貧しい国出身の医師と看護師が埋め、それらの国々には中国やキューバから無償の人材派遣が行われる。中国は先行投資の意味合いから、キューバはアメリカから敵視されている関係上、国際的な孤立を避けるためにそうして

*2【アルジェリア独立戦争】＝1954年から1962年まで約7年半にわたって展開された民族解放運動。フランスが武力で弾圧したため戦争と呼ばれる

います。

　それでかろうじて国際的な医療体制が維持されているのですか
ら、世界とは不思議なものです。

　仏蘭西くんの差別の病が想像以上に重症であることに、世界学
校の生徒は驚いていた。しかし、差別は誰のなかにもあり、きっ
かけがあれば表面化する。また、仏蘭西くんは欧羅巴連合（ＥＵ）の中心
人物だけに他の生徒への影響力も大きい。差別が広がらねばいい
が……と誰もが懸念したが、十数年後、欧州クラスで分断が生ま
れてしまった。

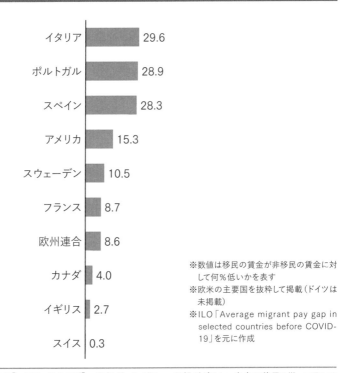

平均時給で見た移民と非移民の賃金格差

イタリア	29.6
ポルトガル	28.9
スペイン	28.3
アメリカ	15.3
スウェーデン	10.5
フランス	8.7
欧州連合	8.6
カナダ	4.0
イギリス	2.7
スイス	0.3

※数値は移民の賃金が非移民の賃金に対
　して何％低いかを表す
※欧米の主要国を抜粋して掲載（ドイツは
　未掲載）
※ILO「Average migrant pay gap in
　selected countries before COVID-
　19」を元に作成

＊3【ニコラ・サルコジ】＝父親がハンガリー、母親がギリシャ出身の移民2世。フランス
史上初の移民系大統領でもある

2006年 ▶

ミサイル開発と消えることがない核保有疑惑

日本と亜米利加（アメリカ）を挑発する北朝鮮
その狙いと周囲が向ける眼差しは!?

　その日、登校したばかりの北朝鮮くんが、日本くんに向かって、お手製のミサイル型鉛筆を投げ始めた。以前からちょくちょく投げていたが、今回はなんと7発と異例の多さだ。

「そういう挑発的なこと、やめてくれないか？」

　抗議をする日本くんだが、色白の北朝鮮くんは無言で何を考えているかわからない。これまでと違う様子に、世界学校の生徒たちは色めきだった。また、こんな北朝鮮くんを世界学校の生徒はどう思っているのか？　日本くんは最近気になっていた……。

北朝鮮 僕が本当に狙っているのはアメリカだよ

　2012年製作のアメリカ映画『レッド・ドーン』は、北朝鮮による侵略を受け国土の大半を占領されたアメリカで、若者たちがレジスタンスとして立ち上がるという内容です。1984年製作の『若き勇者たち』のリメイクで、オリジナル版ではソ連とキューバ、ニカラグアの共産圏連合が敵でしたが、こちらの敵は北朝鮮軍オンリーと、時代の変化を感じます。

　さて、北朝鮮が「悪の枢軸」のひとつに数えられた要因は、繰り返し実行されるミサイル発射実験と核開発疑惑にあります。北朝鮮のミサイルと言えばノドン[*1]、テポドン[*2]などが知られています。

　ノドンは核弾頭またはVX弾の装着が可能な弾道ミサイルです。1993年には日本海に向けての発射実験が行われました。横須賀の

● 2006年の日本の出来事＝堀江貴文、村上世彰が逮捕される。第一次安倍晋三政権が発足。日銀が量的緩和解除、ゼロ金利解除。秋篠宮妃紀子さまが男児出産

在日米軍基地をはじめ、日本本土のほぼ全域が射程範囲内と想定され、すでに実戦配備されたと言います。しかし、アメリカ本土からは北朝鮮への核攻撃が可能なのですから、北朝鮮としては対抗手段が必要です。そこで、ノドンより射程距離がずっと長いテポドンの開発に着手します。

テポドン1号が発射されたのは1998年8月。落下地点は三陸沖遠方の太平洋上です。その後も断続的に発射実験が重ねられ、2006年7月5日午前3時30分頃から同8時20分頃にかけて、テポドンを含む長距離、中距離、短距離の弾道ミサイル計6発、さらに同日午後5時20分頃には7発目の発射が行われました。

テポドンは発射後すぐに爆発しましたが、他の6発はロシアのプリモルスキー地方沖の日本海上に着弾し、日米両国だけでなく国際社会がいっせいに動き出します。精度が格段に上がっているのを見せつけられて、焦らずにはいられなかったのです。

「核弾道を装着の長距離ミサイルでアメリカ本土を攻撃⁉ そんなこと、あり得ないだろう！」

信じがたいことが現実味を帯び始めたのですから、アメリカが態度を硬化させ、国内で北朝鮮脅威論が頭をもたげてくるのも当然でした。

●

北朝鮮くんがミサイル型鉛筆と"究極の武器"を開発するのは、亜米利加（アメリカ）くんに対抗するためだった。彼は自分を「三悪人」のひとりに数えている。しかも、伊拉久（イラク）くんをボコったときの衝撃は凄かった。亜米利加くんと渡り合うことができないのでは、世界学校で生き残れない。そのために、北朝鮮くんは何でもやるつもりだった。

日本 自分と同じほど嫌っている者はそんなにいないのか

北朝鮮は2003年に核拡散防止条約からの脱退を表明しているので、にわかに緊張が増します。テポドンの発射実験と並行して核

＊1【ノドン】＝1号は全長15メートル、直径1.3メートル、射程距離約1000〜1300キロメートルとされる。VXは毒ガスのこと

開発疑惑も囁かれるのですから、いくら原子力エネルギーの平和利用と説明されたところで、信用できるはずもありません。事実、北朝鮮は2005年2月に核兵器の保有を宣言、2006年10月には地下核実験を実施し、成功を収めたと発表しました。

　先のミサイル発射実験を受け、国連安保理では北朝鮮に対する非難決議が採択されていましたが、2006年の地下核実験成功を受け、アメリカは単独で北朝鮮の銀行資産を凍結する挙に出ます。米朝間には国交がなく、とりあえず実行可能なことは、それくらいでした。

「北朝鮮は孤立しているのに、なぜ強硬姿勢を貫くことができるのか？　虚勢か、それとも何か自信の裏付けがあるのか？」

　多くの日本人が、こう疑問に感じるようですが、実は日本人の北朝鮮認識には根本的な部分に大きな間違いがあります。北朝鮮が国際的な孤立状態にあるというのは多分に思い込みで、国連加盟国のなかでは、北朝鮮と国交のない国が少数派なのです。

　北朝鮮に大使館を置く国は少ないのですが、外交関係のある国は多く、外貨獲得の道も閉ざされてはいません。得意とするのは指導者の巨像などのモニュメントの建設です。かつては中国の得意分野でしたが、現在では北朝鮮の独壇場です。

　2001年5月、現在の最高指導者、金正恩の異母兄、金正男[＊3]が日本に入国の際、成田空港で身柄を拘束される事件がありました。容疑は偽造パスポートの所持と使用、出入国法違反と報じられましたが、フジテレビの追跡取材の結果、金正男が所持していたパスポートは、カリブ海のドミニカ共和国が正式に発行したもので、生年月日も実際と同じ1971年5月10日であることが判明します。

　名義こそ中国語で「太った熊」を意味する「PANG XIONG（胖熊）」でしたが、一国の政府が正式に発行したものであれば、偽造としてよいか微妙なところです。金正恩は10種類の旅券を有したそうですが、それらもすべて正式な旅券であったかもしれません。

＊2【テポドン】＝ノドンを発展させた2段式で射程距離は7000〜8000キロメートルとされ、アメリカ本土にも到達する可能性がある

このように、北朝鮮に対する視線には、日米とその他の国々の
あいだには、かなりの温度差があるのです。

◉

「思ったより、友達付き合いしてるんだな」
　北朝鮮くんを懲らしめるには、他の生徒の協力が重要だ。そう
考えた日本くんは彼の交友関係を調べたのだが、自分と同じ程度
に嫌っている生徒は思いのほか少ない。
「やっぱり、僕には亜米利加くんの後ろ盾が必要だ……」
　北朝鮮くんを孤立させるのは、思いのほか難しそうだ。本当に
彼と付き合うのは難しいと、日本くんは痛感していた。そして以
降、北朝鮮くんの鉛筆投げは頻繁に起きることになった。

*3【金正男】＝第2代の最高指導者、金正日の長男。2017年2月にマレーシアのクア
ラルンプール国際空港で暗殺された

2007年 ▶

ミャンマーの反政府デモと民主化の後退

何度も自分を変えようとした
緬甸（ミャンマー）が挫折を繰り返す理由は？

「もっと、人の意見を聞いたら？」

また言われてしまったと、緬甸（ミャンマー）さんは反省した。優雅な姿から「クジャク」のニックネームで呼ばれている彼女は、そのルックスを買われ、演劇部では度々、主役を演じてきた。だが、何かにつけて独断専行で物事を運んでしまうため、他の部員から「人の意見に耳を貸さない」と文句を言われてしまう。「根っからの性格なのかなぁ。自分でも変えたいと思っているのに……」。なかなか変わることができない、その理由は緬甸さんの生い立ちにあった。

ミャンマー イギリスからの独立直後、混乱が始まって……

ビルマからミャンマーへの国名変更が行われたのは1989年6月のことでした。しかし、国際社会の関心はそこではなく、軍事独裁政権による民主化弾圧に集中していました。

ミャンマーは多民族国家です。ビルマ族が総人口の約70％を占め、残りは130以上の少数民族からなり、中国やラオスなどとの国境の山岳地帯に集住しています。また、イギリス植民地時代はマイノリティーを優遇する政策が採られていました。

独立時には、いくつかの少数民族が独立や自治権を求めて武装蜂起します。中国国内の内戦に敗れて逃げてきた国民党の残党も加わり、ビルマではしばらく政府を加えた三つ巴の争いが展開されます。事態を収めるには軍の力が必要で、軍人による政治への関与が常態化。軍事独裁政権の長期化へとつながります。

●2007年の日本の出来事＝安倍首相が突然の辞任、福田内閣発足。参院選で自民が歴史的敗北。年金記録未統合5000万件が判明

フィリピンでも、フェルディナンド・マルコスによる独裁政権が長期化していました。しかし、アメリカのレーガン政権がマルコスから距離を置き始めたこともあって、1986年にはマルコスが亡命、民主化へ向かいます。

　少し間が空き、ビルマにもこの影響は飛び火します。1988年にはネ・ウィン[*1]の退陣と政治の民主化、1974年以来の社会主義政策の放棄を求める大衆運動が盛り上がりを見せます。学生や市民に加え、僧侶までデモに加わるようになり、フィリピンと同じく、国軍が独裁者を見限り、民主化に舵を切ることで決着かとも期待されました。

　しかし、同年9月、国軍はクーデターを起こし、ネ・ウィンの退陣と社会主義政策の放棄を宣言したものの、大衆に合流はせず、軍事独裁体制を維持する選択をします。フィリピンとは違い米軍が駐留はしておらず、アメリカへの依存度が低いので、民主化や人権へ背を向け続けても問題なしと判断したのでしょう。

　反発を強めた学生たちは、少数民族の武装勢力と力を合わせるべく続々と山岳地帯に向かいます。しかし、都会育ちの彼らに密林生活は厳しく、大半は大学か故郷へ戻り、出国か合法的な手段での抵抗を続けるか、普通に生きるか……成り行きまかせとなりました。

◉

「いろいろ意見を聞いていると、なんだか面倒くさくなっちゃうの」

　そうなると、緬甸さんは自分の考え方を押し通してしまう。何せ主役級の女優なのだから、自分の意見がいちばんではないか。だが、このところ周囲の視線が冷たい。「人の意見に耳を傾ける」。それが大事なのはわかっているが、これがなかなか難しい……。

ミャンマー 思いだけでは変化はできない──これを痛感しました

　この時期、ミャンマーに最大の影響力を持つ国は中国でした。

*1【ネ・ウィン】＝アウンサンらとともに活動する。1962年にクーデターにより首相と大統領に就任。1988年、すべての公職を辞任、引退した

しかし、中国は1989年の天安門事件以来、民主化を求める動きを封じており、ミャンマーに民主化をうながすわけがありません。

そうなると、ミャンマーの軍事政権にとって恐れるべきはふたつ。黒魔術[*2]による呪いと、「ビルマ建国の父」アウンサン[*3]将軍の長女アウンサンスーチー（スーチー）の去就でした。スーチーは黒魔術と同等か、それ以上に警戒されたわけですが、彼女はイギリス人と結婚してミャンマー国籍を失っていました。

民主化運動が盛り上がりを見せる1988年8月、母危篤の知らせを受けたスーチーはミャンマーに戻りますが、政治に関与するつもりはないと声明を出していました。しかし「独立の父」の娘というカリスマ性は十分で、必死の説得に根負けしたのか、9月に国民民主連盟（NLD）が結成されると書記長に就任します。

翌年7月に自宅軟禁されて以降、何度かの短い釈放を挟んで、長い軟禁生活を余儀なくされますが、国際社会からは「囚われのクジャク」と呼ばれ、幅広い支持と声援を得るようになります。

2007年9月には、僧侶による全国的な反政府デモが発生しますが、またも治安当局により制圧され、日本人1人を含む多数の死傷者が出ました。選挙をやればNLDが圧勝するのですが、軍事政権がその結果を認めないため、民政移管は実現を見ずにいます。

なぜ民主化が進まないのか？　それは中国の姿勢だけでは説明がつきません。軍事政権が利権集団と化しているからと説明されることもありますが、もうひとつの要因として、NLD内の人材不足が挙げられます。スーチー以外、国際的に知名度のある人がいないのです。

また知名度不足以上に、実務家の不在がネックとも言えます。自由と民主主義を求める熱意は十分でも、組織運営や財政のプロ、行政処理に長けた人材が欠けているから、たとえ政権を明け渡されても機能不全に陥るのが目に見えているのです。

思いだけでは政治はできない——。その点、軍事政権には実務経験豊富な人材も多く、政権幹部にとっては大きな安心材料でも

＊2【ミャンマーの黒魔術】＝ミャンマーでは黒魔術による呪いが広く信じられており、それを警戒し、高級軍人などの生年月日はトップシークレットとされている

あるのです。

●

　二大ボスの時代が終わってから、世界学校には自分の考え方を変えようとする生徒が増えてきた。それは主に、緬甸さんのように人に対して支配的な生徒や、蘇聯邦の元メンバーのようにボスに支配されていた生徒たちに現れた傾向だった。

　ある程度、変わることができる生徒もいれば、緬甸さんのようにしばらくは変わっても、結局、元に戻ってしまう生徒もいる。身に沁みついた考え方を変えるのは難しい……。多くの生徒がそれを痛感していた。

ミャンマーの民主化と弾圧の歴史

1948年　イギリス領植民地から独立

1962年　国軍がクーデターを起こす

1998年　学生を中心にした民主化運動が全土に広がる

スーチーが書記長に就任しNLDが結成される

1990年　総選挙でNLDが圧勝！

2011年　民政に移管

2015年　総選挙でNLDが圧勝し、
　　　　翌年、NLD政権が誕生

弾圧の死者は
2000人を
超える！

2021年　軍がクーデターで国家を掌握

2022年　民主化活動家ら4人の死刑執行

＊3【アウンサン】＝第二次世界大戦下では日本軍の支援を受け独立運動を展開、のちに抗日に転換。戦後も反英闘争を指導し1947年、独立達成を前に暗殺された

リーマン・ショックの激震が全世界に走る

亜米利加(アメリカ)発案のマネーゲーム崩壊
世界学校で金融パニック発生!

　ここ数年、世界学校ではトレーディングカードの売買が熱を帯びていた。しかも、どんどん値上がりするので、生徒たちにとっては格好の小遣い稼ぎの手段。ところが、このマネーゲームの発案者である亜米利加(アメリカ)くんが無責任にも、「もう、飽きちゃった」と投げ売りを始めたのでカードの価値は一気に下落。生徒たちは「自分だけは損したくない!」とパニックになり、学校中で不良債権と化したカードの押し付け合いが始まったのだ。

アメリカ 皆に迷惑かけたけど、バブルはいつか弾けるものさ

　2008年9月15日、アメリカ発のビッグニュースが世界を駆け巡ります。

「投資銀行リーマン・ブラザーズが経営破綻!」

　国際金融に疎(うと)い人には初耳だったかもしれませんが、リーマン・ブラザーズは1850年創立のアメリカの大手証券会社です。投資銀行と、名前に「銀行」とつきますが、法人向けに有価証券の発行や取り扱いをサポートするのが仕事で、日本では「証券業」に分類されます。

　アメリカでは2003年頃から住宅価格の下落が始まり、未曽有の不動産ブームが到来しました。これを商機と見たリーマン・ブラザーズは「サブプライムローン」[*1]という住宅ローンに力を注ぎこみます。

　住宅・不動産価格の上昇が続けば問題はありませんが、2006年

● 2008年の日本の出来事=福田首相が辞任、麻生内閣発足。秋葉原で通り魔事件、7人死亡。東証、バブル後最安値の7162円90銭。中国製ギョーザで中毒

に暴落が始まります。2007年にサブプライムローンの不良債権化が問題になると、リーマン・ブラザーズを含めサブプライムローンの派生商品を多く抱える投資銀行が、のきなみ経営不振に陥ります。

買収や公的資金の導入で救われた投資銀行もありますが、リーマン・ブラザーズはどちらも得られず、9月15日には連邦破産法11条[＊2]の適用を申請。事実上の経営破綻となったのです。

負債総額は6130億ドル（約64兆円）で史上最大。「大きすぎて潰せない」と見られていた、アメリカ証券界で第4位の金融機関が破綻したのですから、影響は甚大です。主要国の株式相場は大幅に下落し、ヘッジファンドによる資金の引き揚げもあり、世界的な金融不安が発生します。

各国は景気刺激のために、金融緩和と財政出動による経済対策を実施します。なかでも中国は日本円にして約60兆円にも及ぶ投資をして世界経済を下支え、世界経済はV字回復を果たします。

また、今回の世界金融危機を境に国際経済に関する主要な外交の場である先進7カ国財務大臣中央銀行総裁会議（G7）は、新興国を加えたG20へと発展的解消を遂げました。

リーマン・ショックが日本に及ぼした直接的な影響は、ニューシティー・レジデンス投資法人と大和生命保険が経営破綻、農林中央金庫が1兆円を超える含み損をしたことを除けば、比較的軽微でした。しかし、この時期から日本人の財布の紐はいっそう固くなっていきました。

◉

「僕の財力でパニックを収めることができた。皆、わかってるよね！」

重要生徒20の初の会合に参加した中国くんは、そう言わんばかりに、得意げな顔でドッカと座った。安値でもカードを売りたがっている生徒たちから、ただ同然でカードを買い取ったのは中国くんだったのだ。金持ちの彼にとって、そんなものは大した痛手

―――――――――――――――――――――――――――――

＊1【サブプライムローン】＝信用度が劣る低所得層を対象としたローン。不動産価格の上昇を前提に、一般の住宅ローンよりも金利が高めに設定されていた

ではないし、ここで皆に恩を売っておけば好都合。そうやって手なずけて、世界学校での影響力を上げてやる！　その目は野心でギラギラと燃えていた。

日本 お金に関する仕組みが変わったのはわかっているが……

「見に行きますよ、焼け野原を。資本主義のね」

　これは、2009年に公開された日本映画『ハゲタカ』[＊3]で、終盤に主人公が口にしたセリフです。日本進出を目指す中国系巨大ファンドを、日本の金融マンたちが迎え討つという展開ですが、まるで現在の状況を予言したかのようです。

　制作陣には、資本主義の暴走を止めねばという思いがあったのでしょうが、リーマン・ショック後、日本ではグローバル化した経済に対する具体的な妙案が出されることもなければ、政治家にも有権者にも広く危機感が共有されることもありませんでした。

　また、この映画のドラマ版の放映は2007年で、それまできらびやかなイメージだった外資系企業に、初めて強烈な逆風を吹き付けたものでした。しかし、高額な年収へのやっかみを煽っただけで、建設的な思考や日本社会の体質改善にはつながりませんでした。

　すでに「派遣切り」「格差社会」は定着していましたが、高度経済成長や一億総中流時代、バブルの絶頂を生身で経験したことが災いしたのでしょう。他人はともあれ、自分が新たな構造の世界経済に飲み込まれ、「負け組」「下流」になることはないという、根拠のない思い込みが広く浸透していたように思えます。

　イギリスの著名なエコノミストは、「『集団自殺』に突き進む日本人」という見出しで、都合の悪い現実から目を背ける日本社会の風潮を指摘しています。

　それは、高齢化を放置すれば日本の労働人口が減少し経済も衰退する「現実」、移民の受け入れをせねば経済が立ち行かなくなる「現実」などです。しかし相変わらず日本では、自分たちの成功例だけを糧に進めば良しとする風潮さえあります。

＊2【連邦破産法11条】＝アメリカにおける代表的な再建型の倒産法制。日本の民事再生法に相当する

なお、リーマン・ショックでは、先進国の多くが中国の果たした役割を高く評価しました。しかし、その後の展望については希望的観測を述べるに終始するのみ。将来的に予想される副作用、たとえば過剰な設備投資で、使うあてのないものを作り続けるなどといった問題点を直視することなく、不安要素を抱えながら世界経済は今に至っているのです。

「思ったより、損はしなかったけど……」
　そう安堵しつつも、日本くんの顔色はさえない。数年前から、世界学校では、社会科の授業に初歩的な経済学を取り入れるようになった。ところが、日本くんはどうも苦手なのだ。亜米利加くんや欧州クラスの生徒に遅れを感じており、アジアクラスでも中国くんのほうがテストの点数は高い。
「どうも、理解できないんだよなぁ……」
　日本くんは教科書を開いたままつぶやいた。

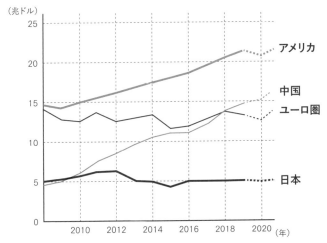

※「IMF経済見通し2020年10月版」を参考に作成

＊3【映画『ハゲタカ』】＝NHKの連続ドラマが初めて映画化された作品。製作中にリーマン・ショックが起きたため脚本が大きく書き換えられたとされる

世界各地に見える少数民族迫害

長年のいじめに耐えかね
回鶻（ウイグル）が中国に怒りをぶつける！

　回鶻（ウイグル）さんは中国くんのチームのメンバーのひとりだ。世界学校の正式な生徒ではないが、一応、「自分のことは自分で決める」権利を持っていた。ところが、中国くんは回鶻さんを子分のごとく扱い、彼女の意思など無視して見下し威張り散らす。しかも、変な因縁を吹っ掛け回鶻さんを殴りつけたりするものだから、回鶻さんの堪忍袋の緒がついに切れた。

「人をバカにするのもほどほどにして！」

「お前は僕の言う通りにしてりゃいいんだよ！」

　２人はついに、大立ち回りを演じたのである。

ウイグル族　人として、当たり前に扱ってほしいのです

　2009年７月５日、中華人民共和国の新疆（しんきょう）ウイグル自治区で大規模な騒乱が発生しました。騒乱のきっかけは同年６月末、広東省にある玩具工場内で、「ウイグル族[*1]男性による、漢族女性のレイプ事件が頻発」というデマが流されたことにあります。

　デマを信じた漢族の従業員がウイグル族の従業員を襲撃し、ウイグル族の２人が死亡、双方合わせて120人が負傷する大事件となります。しかし、責任の所在と刑事処分が曖昧（あいまい）にされたことで、ウイグル族の不満が高まり、怒りの炎は自治区の首都ウルムチにも伝播しました。

　７月５日にウルムチ市内で始まった抗議デモは、暴徒化して治安部隊と衝突。当局側発表によれば、死者192人、負傷者1712人

● 2009年の日本の出来事＝民主党が社民・国民新と連立し圧勝、政権交代へ。新型インフルエンザの感染広がる。裁判員裁判始まる。GDPが35年ぶりに２桁減

ですが、亡命ウイグル人組織の世界ウイグル会議は、死者の数が最大で3000人以上に及んだ可能性があるとアピールしました。

　事件の根底にあるのは多数派による少数派の迫害です。政治的、経済的な差別に加え、少数民族の伝統文化に対する上から目線が、漢族と行政当局に対する反感を煽っているのです。中国は漢族を含め公認されているだけで56の民族からなる多民族国家。しかし、総人口の９割が漢族で、宗教や民族の違いを超越するはずの共産主義国家でありながら、多数派による差別がやみません。

　中国の大きな行政区分には省と自治区の２種類があります。自治区とされたのは建国時に漢族が少数派であった地域ですが、「自治」とは名ばかりで、少数民族による自治が実施されている場所は皆無です。しかも、中央政府が漢族の移住奨励を長年続け、どの自治区でも漢族の人口が過半数を占めるようになります。漢族が裏で実権を握るどころか、公然と我が物顔で振る舞うようになったのです。

　差別があるからこそ、ウイグル族には早くから非合法活動に走る傾向が見られました。外貨兌換券[＊2]と人民元の二重通貨制が布かれていた時代、全国の主要都市で闇の両替を営むのはウイグル族である場合がほとんどでした。

●

　中国くんのチームには回鶻さん以外にもメンバーがおり、表向きは「自分のことは自分で決めていい」と言っている。しかし、中国くんにそんな気はさらさらない。

「誰かに権利を認めると、他の者も求めるから、前例は作らない」

　とくに回鶻さんと西蔵くんを、しばしば締め上げてきた。そんな中国くんに対して、欧州クラスを中心に非難の声も上がっているのだ。

ロヒンギャ 世界学校のなかでも、私はひどい迫害を受けています

　少数民族に対する差別は先進国でも見られますが、そこでは合

2009年

＊1【ウイグル族】＝トルコ系民族のひとつ。ムスリムでウイグル語を話す。現在は中国の新疆ウイグル自治区と、旧ソ連邦中央アジアを主な居住地とする

97

法的に闘いを挑む道が残されています。しかし、新興国や発展途上国の多くでは、法廷闘争だけでは埒の開かないのが現実です。

ミャンマーは山岳少数民族の問題に加え、ロヒンギャ[＊3]問題を抱えています。バングラディシュとミャンマー、タイの3国が受け入れを拒み、互いに押し付け合う状態が数十年も繰り返されているのです。2009年2月には、タイから追放されたロヒンギャの人々数百人が海上で行方不明になる事件が起きました。

差別政策が最も厳しいのがミャンマーです。タイとバングラディシュから送還されても、定住は許されず、待ち受けているのは強制労働や性的迫害。人権被害には国際的な非難がなされていますが、軍事政権はどこ吹く風。スーチーも極力発言を控えるといった状態です。

一方、2009年にはスリランカで、多数派で仏教徒のシンハラ人による、少数派でヒンドゥー教徒のタミル人に対する迫害が原因で起きた内戦が終結しました。

内戦のきっかけは、イギリス植民地時代の19世紀末にまでさかのぼります。独立運動を組織化するために、シンハラ人は伝統的な仏教を利用しました。どこの寺院も僧侶を托鉢に行かせる地域は固定化されており、それをひとつの単位とすれば、全国組織の創設も組織間の連絡もスムーズに運ぶと考えてのことでした。

仏教を軸とした国民統合ですから妙案と言えます。しかし、スリランカのそれは仏教ナショナリズムであり、ナショナリズムにはマイノリティーの排除、民主主義や基本的人権の無視などの懸念もあります。そして独立後、その恐れが現実のものとなります。標的にされたのはキリスト教徒、ムスリム、そしてタミル人からなるヒンドゥー教徒でした。

内戦が始まったのは1983年で、政府が仏教徒でない住民の国籍を剥奪するなど、とんでもない政策を連発。我慢の限界にきたタミル人が武装闘争を選び全面衝突となり、反政府武装勢力のタミル・イーラム解放の虎（LTTE）も結成されました。

＊2【外貨兌換券】＝外国人専用の通貨。外貨の集中管理とヤミ市場の取締りを目的とした。中国では1980年4月より発行され、1994年1月1日から発行停止となった

南部に多くのタミル人を抱えるインドが調停に名乗りを上げ、インド軍を派遣した時期もありますが、成果のないまま撤退します。そうなるとやはり、国連の粘り強い調停に頼るほかなく、2009年になってようやくその努力が結実したのでした。

◉

　弱者へのいじめがなくならないことには、国連先生も頭を悩ませていた。しかも、中国くんのような影響力が強い生徒がやっており、とがめても、「英吉利くんたちが流したデマです」と認めようとしない。
「いじめは人間の性か……いや、あきらめてはいけない」
　国連先生の苦悩は深まるばかりだった……。

亜米利加くん

国連先生

中国くん

2009年

英吉利くん

回鶻さん

＊3【ロヒンギャ】＝主にミャンマー西の沿岸部にあたるラカイン州の北西部に住むイスラム系少数民族。中東やアジア、欧米にも移民・難民として拡散している

変貌を遂げる湾岸諸国の光と影

ハイスペックな生活を満喫
中東クラスの金満生徒たちの素顔

中東クラスには「湾岸仲間」と呼ばれる生徒たちがいて、一部の生徒は以前から贅沢な暮らしをしてきた。なかでも、お金持ちの亜刺比亜首長国連邦（UAE一族）のメンバーは、超高層マンションに住みブランド品に身を固め、同じ湾岸仲間でも伊拉久くんや伊蘭くんとは対照的だ。最近は家庭教師をつけて成績もグ〜ンとアップ。玉の輿に乗ろうとする女子生徒も多いが……。

UAE 従来の資産活用に加え、新しいビジネスも手掛けているよ

上空から見ると、ヤシの木を模したことがわかる人口島。アラブ首長国連邦（UAE）[*1]を構成する首長国のひとつ、ドバイを象徴する光景でもあります。この地に高さ828メートルと、人工建造物としては世界一を誇るブルジェ・ハリファがオープンしたのは2010年1月。ギネス世界記録をいくつも同時に塗り替え、日本でも話題になりました。

UAEは湾岸諸国[*2]のひとつです。湾岸の「湾」は日本ではペルシア湾を指しますが、アラブ諸国が「アラブ湾」と主張するため、国際的には英語の「ガルフ（gulf＝湾）」という言葉が使用される傾向にあります。湾岸諸国はどこも産油国で、イラクとアメリカによる経済制裁下にあるイラン以外では、石油による富がフル活用をされています。

石油の枯渇までの歳月が具体的に試算され、石油に代わる資源について真剣な議論が必要と叫ばれたのは、30余年前のこと。し

● 2010年の日本の出来事＝尖閣沖で中国漁船衝突。大阪地検で証拠改ざん、検事、元特捜部長ら逮捕。鳩山内閣退陣、菅内閣が発足。参院選で民主大敗

かし、予測に反して石油の枯渇の兆しは見えず、石油を頼りにした大規模な不動産投資や企業買収、ポスト石油を見据えての新たな基幹産業の育成なども、本格的に着手されています。

　新たな基幹産業で重視されているのも、エネルギー資源関連です。砂漠気候に分類される土地柄を活用しての地熱発電と太陽光発電および蓄電池開発などは実現性が高く、応用がいくらでも効くため、先進国の企業による受注争いが熾烈を極めています。

　また、湾岸諸国は航空戦略にも積極的です。ドバイに本拠地を置くエミレーツ航空は、2010年の3月に成田線を就航。4月にはカタール航空も就航します。アブダビに本拠地を置くエティハド航空は少し出遅れましたが、やはり2010年に成田線の就航にこぎつけました。

　その後、これら3社は関西と羽田への就航も果たし、ドバイとカタール、アブダビは日本と欧州を結ぶハブ空港として存在感を増していきます。乗り継ぎ客の増加を見込み、2017年にはアブダビにルーブル美術館としては初の海外別館が開設されました。

◉

　ある日、独逸さんと仏蘭西くんは街でばったり、亜刺比亜首長国連邦のメンバーの1人が女の子とデートしているのを見かけて、「ありえん！」と驚いた。女の子が5歩も6歩も彼のうしろを、まるで召使のごとく歩いているのだ。女性に対して、そういった扱いをするのが一族のしきたりらしいが、DVの噂も絶えない。せっかくの玉の輿から逃げ出す女の子もいるという……。

フィリピン ビジネスのいい相手だと思っていたが、まさか!?

　ブルジュ・ハリファのオープンを境に、日本でもドバイや湾岸諸国に関する情報発信が急増しますが、そのなかでひときわ目を引いたのがこの文言ではないでしょうか。

「ドバイなら、家事使用人でも月給50万円」

　一億総中流意識が崩壊を始めた当時の日本人にとって、この数

*1【アラブ首長国連邦】＝アブダビ、ドバイ、シャルジャ、アジュマーン、フジャイラ、ウムアルカイワイン、ラスアルハイマの7つの首長国で構成される連邦国家

字は衝撃的ですが、実際に湾岸諸国へ出稼ぎ行くのは、当初はパレスチナ人やベンガル人など、イスラム世界のなかでも比較的貧しい地域の出身者ばかりでした。これにスリランカやネパール、アフリカ諸国の異教徒も加わりますが、建設現場がメインゆえ、現場で目にできるのは男性ばかりでした。

　しかも、湾岸諸国では女性の社会進出が遅々として進みません。男女隔離の壁も厚いため、海外に募集をかける場合も女性の職種は家事労働者に限られました。

　イスラム国家のマレーシアやインドネシアに募集をかけるのがベストですが、これらの国々では女性に海外出稼ぎをさせる習慣がありません。よって、この分野ではキリスト教カトリックの信者が多いフィリピンの存在が抜きん出ていました。

　家事労働者として海外出稼ぎに行くフィリピン女性の行先は、主に香港でした。しかし、中国への返還後、香港経済の停滞が続く状況では、まず首を切られるのは彼女たちで、フィリピン政府が次の市場として目をつけたのが、湾岸諸国だったのです。

　しかし、フィリピン政府は現地の事情をあまりに知らなさ過ぎました。湾岸諸国では、家の外も中も男女の隔離が徹底しています。女性の家事労働者は家主の夫人をはじめ、女性親族の世話だけをするのが原則です。しかし、報酬を支払うのは家主ですから、家主の命令には、たとえ理不尽な要求であっても逆らえません。

　その結果、性的虐待や暴力に晒される女性が相次ぎます。暴力に耐えかねて正当防衛に出た女性が逮捕され、斬首刑に処される事件まで起き、外交問題に発展することも珍しくありません。

　湾岸諸国にはこれ以外にもキナ臭い風聞が絶えません。最たるものが、石油マネーの相当数がアルカイダ系組織などのイスラム過激派に流れているとされる疑惑です。少なくともガザ地区のハマスやエジプトのムスリム同胞団[＊3]が、湾岸諸国からの援助で成り立っているのは公然たる事実です。アルカイダが然りでもおかしくないでしょう。

＊2【湾岸諸国】＝イラン、イラク、サウジアラビア、クウェート、バーレーン、カタール、UAE、オマーンの8カ国を指す

亜刺比亜首長国連邦のリーダー、アブダビくんは「金持ち喧嘩せず」をそのままに、穏健な人付き合いを心がけてきた。巴勒斯坦（パレスチナ）くんを含むアラブ仲間はもちろん、亜米利加（アメリカ）くんとも関係は良好で、以色列（イスラエル）くんとさえ上手く付き合うつもりだ。

　また、時折、キナ臭いことをやっている者からの援助も頼まれるが、そっと援助をする。なぜならば、一部の生徒たちから疎まれる彼らだって同胞なのだから。

UAEの外交姿勢と過激派への資金提供

欧米諸国、アラブ諸国、
イスラム諸国、アジア諸国などと
穏健で協調的な外交を展開

2020年8月、イスラエルとの国交正常化を発表

バーレーン
イラン
カタール
UAE
オマーン
サウジアラビア

いっぽうで……

ハマスやムスリム同胞団など、
イスラム過激派に資金を提供
アルカイダへの資金提供疑惑も浮上

＊3【ムスリム同胞団】＝イスラム教スンニ派の社会運動団体。エジプト最大の政治団体となったがナセル狙撃事件を機に解体。その後、1970年代に組織を再建した

2011年 ▶

中東・北アフリカで広がる民主化運動

アラブ仲間に起きた変化の波！
待ち受けるのは実現か挫折か!?

「僕、これからは、もっと人の意見を聞くことにするよ」

　年明け早々、突尼斯くんがこんな宣言をしたのだから、皆がびっくりした。もともと、突尼斯くんや彼のアラブ仲間の利比亜くん、埃及くんといった生徒は、典型的な独断専行タイプだ。ゆえに、しばしば喧嘩が起きるのだが、もはや、それでは人間関係がうまくいかないことを痛感したのだと言う。

　しかも、お手本にするのが仏蘭西くん独逸さんという、突尼斯くんとは真逆のタイプ。「本当にできるの？」と疑問視する声も聞こえたが、意外にもそれは、他のアラブ仲間にも波及した。

チュニジア 自分のなかに溜まっていた不平や不満が爆発したよ

　旧ソ連諸国で起きた「カラー革命」に少し遅れて、中東アラブ世界[＊1]でも民衆の怒りが爆発します。

　始まりは2010年12月17日、場所はチュニジアの地方都市。失業中の青年が青果の路上販売を始めたところ、許可証の不所持を理由に警察が商品を没収。青年は抗議の焼身自殺を遂げました。

　自殺や遺体の損壊は、イスラム教では禁止[＊2]されており、青年の死は大事な教えを二重に破る行為でした。本来であれば批判の的となるところです。しかし、折からの失業率の高さと長期独裁政権への不満が重なり、青年への同情と警察への怒りが広く共有され、チュニジア全土で抗議デモが開始されます。

　抗議デモは政権打倒を叫ぶ、民主化要求デモへと姿を変えて拡

●2011年の日本の出来事＝東日本大震災が発生、原発事故で甚大被害。原発停止相次ぎ、電力不足が深刻化。なでしこジャパン、サッカーW杯優勝

大します。2011年1月14日、これ以上の政権維持は無理と判断したベン・アリー大統領が国外へ逃亡して、23年間にも及んだ独裁政治に終止符が打たれました。これは、同国を代表する花にちなみ、「ジャスミン革命」と呼ばれています。

　チュニジアに隣接するリビアは、カダフィ大佐による独裁政権が40年以上続いていました。長年、反米を唱え続け、アラブ強硬派のリーダー格でもあっただけに、脆く崩れることはないと見られていましたが、2011年2月に始まった反体制派との戦闘は長期化し、しだいに政権側の劣勢が明らかとなります。

　同年8月には首都トリポリが陥落。10月にはカダフィも殺害され、リンチを受けるカダフィと死亡直後を映したと思われる映像は衝撃的でした。栄華と最期のコントラストがあまりに鮮明だったからです。

　リビアの東に隣接するエジプトでは、1981年にサダト大統領（当時）がイスラム過激派の手で暗殺されて以降、後継に収まったムバラクによる独裁体制が続いていました。

　しかし、チュニジアの革命に勇気づけられたか、2011年1月25日からムバラクの退陣を求める抗議活動が拡大の一途をたどり、首都カイロのタハリール広場が連日群衆で埋め尽くされるのを見て、2月11日、とうとうムバラクは退陣を表明。30年に及んだ独裁政権に幕が下ろされました。

●

　突尼斯くんや利比亜くんたちが変わっていく姿を見て、阿留世里屋（アルジェリア）くんや摩洛哥（モロッコ）さんも、「自分も変わりたい！」と思うようになった。

　だが、変化は思いのほか難しい。これまでに染みついた考え方を変えねばならないし、性分に合うかもわからないからだ……。

アラブ諸国 カリスマ性に欠ける……それが私たちの弱点だった

　アラブ諸国を席捲した大衆運動とその成果は「アラブの春」と

＊1【アラブ世界】＝中東から北アフリカ一帯にかけて、アラビア語を話す人々であるアラブ人が主に住む地域

総称されます。

　アルジェリアでは1992年以来発令されたままの戒厳令の解除、モロッコでは国王権限の縮小と議会権限の拡大を柱とする憲法改正が実施されるなど、アラブ諸国を例外なく揺るがしました。

　報道規制の厳しい国ばかりで、新聞やテレビは政権側に抑えられました。しかし、ツィッターやフェイスブックなどのSNSを通じた情報の拡散は想定外。政権側は後手に回ったのでした。

　しかし、独裁政権崩壊後の受け皿となる条件は、どの国でも整っていませんでした。すでに何らかの組織を有するイスラム主義者であれば政党作りも容易ですが、宗教色のない政党、リベラルな改革を旗印にする政党となると、ゼロからの出発となります。

　知名度が高くカリスマ性のある人物がいるなら別ですが、ミャンマーにおけるスーチーのような人物は、中東アラブ世界にはいませんでした。

　SNSの発信者は学生か若い失業者で、高い政治的な意識をもってはいても知名度も組織的な後ろ盾もありません。選挙に出馬しても投票をしてくれる社会的基盤は育っておらず、票の流れる先は宗教政党か有力部族の後援を得られた者、財閥の出身者などに限られるのでは、との危惧が拭いきれませんでした。

　また、民主的な議会制度がきちんと機能するのか？　普通選挙の意味は広く理解されているのか？　反体制諸勢力による果実の分捕り合戦で内戦に陥るのではないか？　など、「アラブの春」で政権打倒に成功した国はもとより、そうでない国も、一連の大衆運動の結果が吉とでるか凶と出るか、まったく予断の許さない状況でした。

「アラブの春」の影響はアラブ世界の外にも及びました。アメリカの「ウォール街を占拠せよ」[＊3]がその代表例です。「我々は99％だ」のスローガンのもと、上位１％の超富裕層が富を独占していることに対して、人々が率直な怒りと苛立ちを表したのです。それは、資本主義というシステムに対する怒りでした。

＊2【イスラム教の埋葬】＝終末時の「最後の審判」で遺体が必要というので、遺体の損壊は禁止され、火葬ではなく土葬が続けられている

なお、中国では「アラブの春」でSNSが重要な役割を果たしたことに注意が向けられました。そして、インターネット上の規制がいっそう強化されるという、皮肉な結果となりました。

◉

　この頃には、世界学校の生徒の多くがスマートフォンを所持していた。そして、変化を求めたアラブ仲間の生徒たちは、SNSを活用、意見を交換し、時に連帯した。このように、SNSは生徒たちの新たな関係を作り上げた。

　たが、テロ喧嘩を望む者同士を結び付けるなど危険な一面も持っており、それが現実のこととなるのは、数年後のことだった。

「アラブの春」以降の各国のその後

●モロッコ
王政を維持しながら議会への
権力移譲が緩やかに進行中

●チュニジア
民主体制へ移行したが、
どの政権も経済再建に失敗

●アルジェリア
「アラブの春」の影響を
ほとんど受けず、
軍による強権政治のもと
比較的安定

●リビア
反カダフィの武装勢力が
複数入り乱れたままで、
現在も内戦が継続中

●エジプト
選挙でムスリム同胞団が
政権の座に就くものの、
再び軍部による独裁へ

2011年

＊3【ウォール街を占拠せよ】＝2011年9月17日からウォール街で起きた、経済界、政界に対する一連の抗議運動、またはその合言葉

民主化デモから泥沼の内戦へ

変化を求めた叙利亜の混迷極める見えない未来

　アラブ仲間にあって、叙利亜くんは気性が荒く冷徹な性格で知られている。かつて以色列くんに喧嘩で負けており、2人の仲は最悪だ。その以色列くんと亜米利加くんは関係が密。そこで、ともに亜米利加大嫌い同士ということで、叙利亜くんは露西亜くんとは仲がいい。

　その叙利亜くんにもアラブ仲間の変化の波が押し寄せるが、彼の場合、どうやら事情が違うようだ。

シリア　俺にはイスラエルから取り戻さねばならないものがある！

　リビアのカダフィ政権と同じく、シリアのアサド政権もアラブ強硬派に数えられましたが、その権力基盤は少々複雑です。

　アサド一族はイスラム教の少数派のシーア派、そのなかでもさらに少数派のアラウィー派の信者です。シリア国内でも総人口の12％を占めるにすぎないのですが、支配政党であるバアス党と軍を同派が握っているので、権力を維持できているのです。

　現大統領のバッシャール・アサドは眼科医を志していましたが、兄が自動車事故で死亡したことから自動的に後継者に繰り上げられます。そして、2000年に父ハーフィズ・アサドが亡くなるにともない、大統領職と権力の座を引き継ぎました。

　父アサドは反イスラエル・反米の立場をとり、ソ連を、そしてソ連崩壊後はロシアと友好関係を保ちます。シリアにとっては第3次中東戦争 [*1] でイスラエル軍に占領されたゴラン高原の奪還

● 2012年の日本の出来事＝衆院選で自公圧勝、政権奪還。尖閣・竹島で中国・韓国との関係悪化。消費増税法が成立。山中伸弥教授にノーベル医学生理学賞

が悲願ですから、返還交渉を前提としない和平には応じられません。イスラエルとアメリカの関係が密ゆえに、ロシアを頼るしかなかったのです。

　父アサド時代も盤石ではなく、何度か大規模な武力衝突が起きています。最も新しいのは1982年2月の衝突で、ムスリム同胞団を中心とした反体制派が武装蜂起し、政府軍は3週間をかけてこれを鎮圧。双方合わせた死者は数千人とも数万人とも言われています。

　中東イスラム世界はどこもそうですが、スーク（市場）には必ずモスクがあります。モスクが付随しているのではなく、モスクの管理費を捻出するため、あとからスークが作られたケースが多いためで、スークがある限り、モスクと聖職者は安泰。政府が脱宗教化に走る、あるいはアラウィー派のような少数派が政権を握ると、モスクとスークがイスラム過激派の温床となるのは避けられないことでもありました。

◉

　叙利亜くんは、中東クラスの問題児の伊拉久（イラク）くんや、曲者で仲が悪い土耳古（トルコ）くんなどと席を接しており、人間関係が複雑でもめ事が絶えない。そんな叙利亜くんの目にも、アラブ仲間の変化は新鮮に映った。

「どうしたら自分を変えられるのだろう？」

　と思案しているが、土耳古くんがちょっかいを出してきて……。

シリア　いろんなものが入り乱れ、結局ゴチャゴチャになってしまった

　少数派が強権政治をしているのですから、「アラブの春」がシリアに飛び火するのは必定です。東西南北をイラク、レバノン、ヨルダン、トルコに囲まれ、トルコ国内でもシリアと国境を接する一帯の住民はアラブ系です。

　シリアの警備システムはアナログなままで、これでは国境の監視を厳しくするにも限界があり、外部からの武器の搬入や武装集

* 1【第3次中東戦争】＝1967年6月5〜10日の6日間、イスラエルと、エジプト・ヨルダン・シリアとのあいだで起きた戦争

団の侵入を完全阻止するのは、不可能なことでした。

　シリアで反政府デモが始まったのは2011年3月。当初はすぐに鎮圧されるかと思われましたが、やがて内戦状態に転じます。当局発表も政府軍の勝利を伝えながら、戦死者の数が反政府側より政府軍側が多いなど、首をかしげざる得ない状況が続きます。

　国際社会としてまとまった行動はまだ取られず、ロシアはアサド政権への支持を公然と続け、トルコやカタールは反政府軍に資金と武器を提供していると噂されていました。

　2012年には政府軍の支配領域が国土の3割にまで減じますが、人口密集地域の大半は依然として政府軍の支配下です。これだけで形勢を判断することはできませんでした。

　内戦開始からしばらく、反政府軍の実態は不明なままでしたが、この頃には具体的な組織名が明らかになってきます。軍からの離脱者からなる自由シリア軍、スンニ派のイスラム主義者からなるイスラム戦線、そしてクルド人勢力。これらの比較的大規模な武装勢力が、それぞれ数十の武装勢力のリーダー格を務め、別個に戦いを展開していたのです。

　戦闘継続を可能にする資金と武器の補給は、クルド人勢力にはトルコからの独立を目指すクルディスタン労働者党[*2]、イラク北部に本拠地を構えるクルディスタン民主党とクルディスタン愛国同盟などからの支援があると考えるのが現実的です。では、それ以外はどうでしょう。

　トルコはクルド人国家樹立を阻む意図から自由シリア軍を支援し、湾岸諸国はスンニ派の復興を助ける意図からイスラム戦線を支援しているとされます。

　また、少し先になりますが、トルコはクルド人国家の樹立阻止を名目に何度か、シリア北部とイラク北部に軍を進め、シリア北部に安全保障地帯を設けてもいます。

　日本では初め「イスラム国」の名で報じられたISIL（アイシル）[*3]も、すでに軍事行動を開始していたと考えられます。しかし、

---

*2【クルディスタン労働者党】＝1978年に左翼系の武装組織、民族解放軍が名称変更して設立。クルド人国家の樹立とクルド文化の保護を目標に掲げる

その存在はまだ注目を引くほどではありませんでした。

◉

「亜米利加にボコられて、もはや抜け殻のようになった伊拉久、そして頭のなかが混乱の極みの叙利亜。この2人には付け入る隙がある……」

　武装集団のISIL軍団は2人をうまく利用し、世界学校で一定の勢力を保つことを画策していた。だが、もっと仲間が必要だ。そのためにISILはSNSを最大限に活用し、自分たちに同調する者に共闘を呼びかけるのだった。

シリアの内戦の構図

●自由シリア軍
政府軍からの離脱者によって結成
トルコが支援

●シリア政府軍
大統領のバッシャール・アサドが
支配

トルコ

シリア

レバノン

イスラエル

ヨルダン

イラク

サウジアラビア

●イスラム戦線
スンニ派のイスラム主義者
湾岸諸国が支援

●クルド人勢力
クルド人としての独立を目指す
クルディスタン労働者党、
クルディスタン民主党などが支援

4つの勢力が入り乱れて内戦となった！

＊3【ISIL】＝スンニ派過激派組織。2014年6月、イラク第二の都市モスルに攻め込み、「イラク・シリアのイスラム国」の樹立を宣言した

2012年

111

反映されない民意、広がる貧困と格差
現代社会が抱える「政治」と「お金」の問題

　冷戦の終結は国際平和に直結する──。そんな淡い夢は、あっという間に砕かれてしまいました。資本主義と社会主義の闘争が終わったときに起きたこと、それは資本主義の暴走です。

　先進国ではのきなみ、新自由主義と呼ばれる考え方が台頭したかと思えば、いつの間にか政府やメディアを支配するようになってしまいました。新自由主義は国家の介入する領域をできるだけ減らし、すべてを市場原理に委ねるべきとします。規制緩和、緊縮財政、福祉の削減、自己責任などを旗印に、聖域を設けず、国家による所得の再分配を完全否定しました。

　その結果生じたのが、保守的道徳観の復活や貧富の差の拡大、マイノリティの権利の削減、排他的ナショナリズムの台頭などで、日本では「自己責任社会」という言葉も用いられます。

　この30年で幸福度の増した人間がどれだけいるか？　世界人口の何パーセントがそう思っているのか？　結果は問うまでもありません。新自由主義が横行する現代社会では、「政治」と「お金」が緊急かつ深刻な課題と化しています。

　政治の場で最大の問題は、政府や議会の在り方と有権者の意識です。明治時代の日本では、国会議員のことを「代議士」と呼んでいました。自分たちの声を代弁してくれる人という思いを抱いていたからです。

　翻って現代の日本の国会議員は何者の代弁者なのか？　国会中継を見れば明らかなように、どんな法案でも実のない、時間稼ぎの答弁が繰り返されるばかり。議論が尽くされることはなく、数の暴力がまかり通っています。

党議拘束（所属政党の決議に従い投票するように議員を束縛すること）なども、有権者の意思を無視した珍妙な決まりです。国政選挙での投票率が５割を下回るなど、他の先進国では考えられず、政治に民意が反映されないひとつに、投票率の低さがあることも見落としてはなりません。とはいえ、投票すればよいというわけでもなく、とんでもないポピュリストやポピュリズム政党が跋扈している状況がそれを物語っています。

●

　発展途上国の人々が先進国に憧れる点は、豊かさと自由の二点につきます。しかし、程度の違いこそあれ、ほぼすべての国で豊かさと自由は大きな試練に立たされています。中流階級の消滅などはその典型です。

　経済的な理由から結婚や出産に悩む男女に対し「何とかなる」とアドバイスできたのも今は昔。夫婦共働きでともに正社員であっても子供ひとり育てるのが限界、あるいは餓死者が出ることなど、30年前の日本では予測もつかなかったことです。

　国家による強制はもとより、所得の再分配に反対するのが新自由主義の立場ですが、貧困層の拡大が止まらない現状を見れば、それが誤りであることは明らかです。完全な市場原理任せにしてはいけない領域は確かに存在するのです。

　近代以前の社会であれば、政府の至らない部分を宗教界が補っていました。現代政治は福祉や慈善の担い手を公共機関か民間の慈善団体にすべて移行させるよう努めてきました。しかし、税金対策や売名行為のために存在する団体がかなりの割合を占める以上、代役の務めを果たしきれるはずもありません。国や自治体の福祉予算が削減されれば、たちまち貧困層の拡大に歯止めがかからなくなるのも当然でした。

　自己責任のひと言で片づけられる問題ではないはずです。まずは政治と経済のトップに、現実を直視できる人間を並ばせる。状況を改善するには、そこから始めるしかなさそうです。

2013-2022年 ▶

行き詰まる既存勢力、台曲がり角を迎えた世界

◉2013-2022年の世界の主な出来事

2013年
3月●習近平が中国国家主席に就任
11月●中国が尖閣上空に防空識別圏

2014年
3月●ロシアがクリミアを併合
6月●ISILが勢力を拡大

2015年
1月●フランスでシャルリー・エブド襲撃事件
9月●中東難民が欧州に殺到
11月●ミャンマー総選挙でNLDが勝利

2016年
6月●イギリスの国民投票でEU離脱が可決
11月●米大統領選でトランプが勝利

2017年
7月●ミャンマーでロヒンギャ問題深刻化
9月●北朝鮮が6回目の核実験

◉第3章の主な登場人物 ⋯⋯⋯⋯⋯⋯⋯⋯⋯⋯⋯⋯⋯⋯⋯⋯⋯⋯⋯⋯⋯⋯

●国連先生
露西亜くんと烏克蘭くんの喧嘩を止められず、自分の指導力に限界を感じている

●中国くん
校内での存在感が増すものの、香港さんをいじめ、謎のウイルスをばらまき、大ひんしゅくを買う

●仏蘭西くん（フランス）
「多様性を大切にする人」と評価されるが、実は自分が掲げた理想と現実のギャップに苦悩する

●独逸さん（ドイツ）
欧羅巴連合の中心メンバー。学習会のことは大切に思っているが、彼女にも迷いが生じている

●亜米利加くん（アメリカ）
世界学校の一強。一時期、人が変わったように「俺、ファースト!」を連呼し生徒たちを混乱させる

●伊拉久くん（イラク）
かつて亜米利加くんにボコられ、以降、腑抜けになる。そこをISIL軍団に付け狙われ……

●英吉利くん（イギリス）
欧羅巴連合のメンバーだが、学習会のメリットに疑念を感じており、ついに脱会を決意する

●北朝鮮くん
人が変わったような亜米利加くんの、「サシでの話し合い」の申し出に驚くが、打算的に動く

危機が続く中東、多様性の矛盾と限界、反グローバリ

頭する新勢力
学校の秩序

国連旗(写真:Getty Images)

```
2018年
6月●シンガポールで史上初
の米朝首脳会談

2019年
3月●香港で学生ら
が大規模デモ

2020年
3月●WHOが新型コロナウイ
ルス感染症のパンデミッ
ク宣言
11月●米大統領選挙、民主党
バイデンが共和党トラン
プを破る

2021年
1月●核兵器禁止条約発効
2月●ミャンマーで国軍がクーデター

2022年
2月●ロシア軍がウクライナに
侵攻
9月●イタリア総選挙で中道右
派連合が勝利、初の女
性首相誕生
```

●日本くん
"究極の武器"の唯一の被害者。「究極の武器ゼ
ロ運動」に対しては複雑な思いがある

●烏克蘭くん
露西亜くんと距離を置き、欧羅巴連合やチーム
NATOにすり寄るが、露西亜くんに襲われてしまう

●欧羅巴連合
学力向上のために結成されたがもろもろほころ
びが出始め、メンバーから不満が噴き出している

●ISIL軍団
突如出現し、伊拉久くんと利比亜くんを支配。暴
力を振るい世界学校をパニックに陥れる

●露西亜くん
復活の野望に燃えていたがついに決行! 烏克
蘭くんを支配しようと喧嘩を売るが、泥沼化し……

●香港さん
中国くんのチームの一員だが、中国くんの悪質な
「約束破り」に激怒、抗議行動を起こす

●蘇聯邦
すでに解散した、露西亜くんをボスにしたチーム。
元メンバーの多くが露西亜くんを嫌っている

●究極の武器
国連先生の音頭で「究極の武器ゼロ運動」が提
唱されるが、ゼロどころか増えてしまう

ズム、国連の機能不全……世界は反転に向かうのか!?

習近平の国家主席就任と「一帯一路」構想

アジアクラスから欧州クラスまで 支配圏拡大を目指す中国の野心

その昔、中国くんはアジアクラスから欧州クラスにかけて、広大なネットワークを持っていた。今となっては昔話だが、リッチな彼はその復活を密かにもくろんでいた。「一緒にバイトしないか？」と誘えば、お金がない生徒も多いアジアクラスはもちろん、欧州クラスの生徒だって引き入れられる。

だが、甘い話にはウラがある。この甘い誘惑には、「借金漬けで中国くんに支配される」という、リスクもあったのだ……。

中国 大陸と海の両方で、僕は西へ支配域を広げるんだ

習近平（しゅうきんぺい）が、中国の国家主席に就任したのは2013年３月。父親が文化大革命[*1]で迫害されながら、当人は毛沢東（もうたくとう）の崇拝者という、実際の政治運営を見てみないことには解釈が難しい人物の登場でした。新体制は国際社会とどのように向き合っていくつもりなのか？　この年の９月、10月の外訪時の演説で、その輪郭が明らかになります。

カザフスタンでの演説では、ユーラシア大陸の東西各国による相互協力をより深めるためとして、共同で「シルクロード経済ベルト」を建設する構想が打ち出されました。絹を始めとする東西交易により、路上にあるすべての国が利益を享受できた往時を、方法を新たにして現代に再現させようというのです。

インドネシアの国会では、中国と東南アジア諸国連合（ASEAN）とで「21世紀海洋シルクロード」を建設する、との提案がなさ

●2013年の日本の出来事＝アベノミクス始動、異次元緩和で円安・株高。特定秘密保護法が成立。2020年夏季五輪・パラリンピックの東京開催が決定する

れ、中国政府が設立した中国・ASEAN海上協力基金を活用するとの構想も打ち出されました。このふたつのシルクロードを合わせた「一帯一路」という言葉の登場はまだ少し先ですが、その輪郭は2013年にほぼ提示されていたのです。

この段階では国際的な反響は今ひとつでしたが、翌2014年のアジア太平洋経済協力会議（APEC）において、構想の実現に向け、「シルクロード基金」の創設が発表されると、にわかに注目を集めます。さらに、アジアインフラ投資銀行（AIBB）とBRICs[*2]の５カ国が主体となる新開発銀行の設立をも主導し、本気を内外に誇示したのです。

発展途上国に対する融資においては世界銀行やアジア開発銀行（ADB）など、既存の国際開発金融機関もあります。しかし、それだけでは足りないのも事実です。ゆえに、日本やアメリカなど、対象から除外されている国々は、まずは中国のお手並み拝見となりました。

19世紀の西欧列強は、相手を借金漬けにして支配する「債務の罠」を常套手段としました。しかし、中華思想[*3]では「徳」が謳われます。異国の使者が中国を訪れるのは「徳」が溢れる中国を慕ってのこと。だから、貢物の返礼には何倍も価値のあるものを贈る――。習近平がそれに倣うのであれば、「債務の罠」などあり得ません。しかし、実際は融資を受けた多くの国が、中国の「債務の罠」に陥っています。

また、相互協力、相互発展と言いながら、単に中国をリーダーとする経済圏を築きたいだけなのではないか――。習近平の外交政策は当初から疑惑の目を向けられ、現在に至るのです。

◉

「今日はベンチプレスを100回だ！」

最近の中国くんは、烏克蘭くんから筋トレマシンを譲り受けるなどして筋力アップに余念がない。生徒たちを支配するためにはお金に加え、腕力も必要だと考えているからだ。

＊1【文化大革命】＝1966〜1976年、毛沢東主導の元、大衆を動員して行われた政治闘争。死者も出し、中国の伝統文化の破壊と経済活動の停滞をもたらした

それに、自分の影響力が増せば、いずれは亜米利加(アメリカ)くんと喧嘩になる。そのとき、一歩も引かないように……と、中国くんは今日も筋トレで汗を流し、肉体強化に励むのだった。

アメリカ わかっているよ、彼(中国)が僕を意識しているのは

一方、習近平は軍事的な野心を見せていきます。2012年9月には、ウクライナから購入した未完成品を完成させた中国初の航空母艦「遼寧(りょうねい)」が正式に就役します。しかし、習近平は「遼寧」に飽き足らず、国産空母の建造に意欲的で、台湾とその後ろ盾のアメリカを意識していることは間違いなく、アメリカも警戒感を強めていきます。

さらには、2013年11月に中国政府が沖縄県や尖閣諸島を含む東シナ海上空に防空識別圏を設定します。

防空識別圏とは領空とは別で、領空侵犯を防ぐため、各国が領土から12海里(約22キロメートル)の領空より外側に定めている空域です。国家の主権が及ばないため、この領域では不審な他国機に対する攻撃は認められず、警戒と警告のみが行われるのですが、問題なのは中国の打ち出した防空識別圏。日本の領空や防空識別圏、韓国の防空識別圏と一部重なり、国際的な常識から逸脱した行為で、挑発行為とみなされても仕方のない暴挙でした。

また国威発揚という点では、同年12月の月面着陸成功も挙げておかねばなりません。無人月探査機による月面着陸は1976年にソ連が成功して以来のことで、米ソについで3番目となります。

月面着陸成功は、中国の科学技術レベルを世界に誇示するには非常に有効でした。しかし、宇宙進出を停止状態にしているアメリカの自尊心を傷つけ、月の資源開発の独占をもくろんでいるのではないかと警戒感を募らせる結果も招きました。

また、国際条約で禁止されている衛星攻撃兵器(地球軌道上の人工衛星を攻撃する兵器)の開発を、極秘裏に進めるのではないかとも危惧されています。

＊2【BRICs】=ブラジル、ロシア、インド、中国、南アフリカの新興5カ国を指す

　お金による支配、軍事力、宇宙への進出……。習近平が率いる中国の野心は、もはやとどまるところを知りません。

◉

「理系で学んだことは、危険な武器の製造に応用できるからな……」

　亜米利加くんが最近気にしているのが、中国くんの理系科目の偏差値が飛躍的にアップしていることだ。自分が十八番とする理系の知識で、相手を死に至らすほど危険な"究極の武器"をはじめ、多くの武器を作ってきたのだから、中国くんの理系での台頭がどれほど脅威かはわかっている。

「いずれ対決したときに打ち負かしてやる！」

　亜米利加くん、今日も筋トレと理系科目の勉強に余念がない。

中国の「一帯一路」構想

ロシア

欧州

中央アジア

シルクロード経済ベルト

地中海

中国

日本

太平洋

21世紀海洋シルクロード

インド

インド洋

＊3【中華思想】＝中国を世界の文化、政治の中心としてとらえ、他に優越しているという意識、思想のこと

ISILがイスラム国家樹立を宣言

中東クラスに居座り支配！
ISIL軍団に世界学校が震撼

　2014年6月9日の昼休み、校内放送の音楽が流れるなか、世界学校の生徒たちはおしゃべりに興じていた。すると突然、音楽が途絶え、同時に各クラスのプロジェクターに、黒い布で顔を覆った者たちが映し出された。

「何だ、こいつら？」と唖然とする世界学校の生徒たち。なんと、黒い布で顔を覆った者たちは、「我々はISIL軍団。これから中東クラスを支配下に置く！」と宣言したのだ。

　視聴覚室が誰かにジャックされたぞ！　中東クラスがすでにジャックされている！　世界学校に戦慄が走った瞬間だった……。

イラク・シリア 奴らは突然現れ、俺たちは虚を突かれたんだ！

「カリフ制、奴隷制度、ジズヤ（人頭税）の復活」

　高校の教科書か大学受験の参考書でしかお目にかかれないはずの歴史用語が、現在進行中のこととして、あらゆるメディアで大々的に報道される。これは明らかに事件です。

　イラクとシリアを往き来しながら勢力の拡大を続けた武装組織のリーダーがカリフを自称し、「イラク・シリアのイスラム国（ISIS）」の建国を宣言したのは2014年6月。カリフとはイスラム教を創始した預言者ムハンマドの代理人または後継者を意味する言葉に由来し、ムハンマドの死から16世紀初頭まで、イスラム国家の君主の称号として使われていました。

　ジズヤは異教徒に生命と財産、信仰の自由を保障する代わりと

● 2014年の日本の出来事＝解釈改憲で集団的自衛権容認。衆院選で与党が圧勝。消費税率10％への引き上げ延期。御嶽山が噴火、57人死亡6人が不明

して課した税金ですが、20世紀初頭には消えています。奴隷制度も同様でしたから、世界中が唖然とするのも当然でした。

ISILはイスラム過激派のなかでも極右カルトと呼ぶべき存在です。それがみるみる勢力を拡大させ、シリアとイラクの国土それぞれ3分の1を実効支配下に置き、時代錯誤な宣言をしたのです。

リーダーのアブー・バクル・アル・バグダディ[＊1]は東地中海沿岸地域一帯（レバント）すべてを支配下に入れるつもりでいたため、その国を「イラク・レバントのイスラム国（ISIL）」とも称していました。

ISILが内戦下のシリアで強大化した点はともあれ、なぜイラクでも急成長ができたのか。その答えは、サダム・フセイン政権倒壊後の新生イラクで、民主主義がうまく機能していない点に求められます。

イスラム世界全体では少数派のシーア派がイラクでは総人口の6割を、議会でも過半数の議席を占めていました。スンニ派との融和が配慮されているうちはよかったのですが、シーア派がスンニ派との融和を不要とし、政府中枢からのスンニ派排除を進めるにともない、スンニ派住民はすがる相手を探し始めます。そこへたまたま来合わせたのがISILだったのです。

また、サダム・フセイン時代にイラク軍の主力を担った共和国防衛隊も同じです。政権崩壊で武装解除と失業の憂き目を見ましたが、再び武器を手にできれば即戦力となること間違いなし。食料と報酬を保障してくれるなら、どんな相手にでもついていく腹づもりでした。

◉

中東クラスを支配下に置いたISIL軍団は、伊拉久くんと叙利亜くんの席にドッカと座っていた。そして、服装や髪形について時代錯誤としか言えないような厳格なルールを勝手に決め、暴力的に中東クラスの生徒に押し付け始めた。

また、SNSで共闘を呼び掛けると、学校のあちこちから軍団に

＊1【アブー・バクル・アル・バグダディ】＝イラクのサッマーラ生まれ。バグダードのイスラム大学でイスラム学の学士・修士および博士号を取得したとされる

合流する者が出てきた。もはや事態の収拾のためには、全校生徒が一致団結するしかなかった……。

国連先生 ISIL軍団との戦いで我々は教訓を学んだ

　ISILはSNSを最大限活用し、世界各国からも戦闘員を集めていきます。また、将兵をつなぎとめておくには、十分な見返りが必要です。過激思想へのシンパシーから、自分は安全な場所に身を置きながら、金だけは惜しまず出す人間が湾岸諸国にはおり、給与の支払いと食料の提供に関しては問題ありませんでした。となると、残るのは性欲発散で、この解決手段として採用されたのが奴隷制度の復活でした。

　イスラム教の教えでは結婚を契約ととらえ、離婚した場合の財産分与など、結婚時に細かな契約を交わさねばなりません。しかし女性の奴隷は契約が不要で、転売も解放も男性の自由でした。

　とはいえ、むやみに女性狩りをしては支持基盤を破壊しかねないので、狩りの対象は異教徒に絞られ、最大の被害者となったのがヤズィード教徒 [＊2] でした。長らく海外の研究者が彼らの居住域に入ることが許されず、それまでほぼ実態が知られていませんでした。ゆえに伝聞情報に頼るしかないのですが、民族としてはクルド人が大半を占めるとされています。

　大きな戦果を挙げた兵士には女性の奴隷をあてがう――。こんな現実を許せるはずがなく、シリア内戦やイラク問題では乱れていた国際社会の足並みも、ISILの打倒という点では一致します。

　しかし、現地事情に詳しくない者には、ISILとISILに敵対する勢力の区別はつきません。そこで欧米諸国による介入は、空爆や地上戦を担うクルド人武装勢力への武器供与に限られました。空爆の成果は徐々に表れ、ISILの支配領域は減少しますが、指揮系統が寸断されてもアメーバのように復活するなど、カルトらしいしぶとさを発揮しました。

　2019年10月、米軍の急襲作戦によるバグダディの殺害後、ISIL

＊2【ヤズィード教】＝信仰の歴史は古く、ゾロアスター教成立以前の古代イランの信仰をもとにしながら、マニ教やキリスト教などの要素を取り入れた

はようやく壊滅へと向かいますが、ISILに義勇兵[＊3]として参加した若者たちの扱いが問題となります。

　中東系移民の2世や3世からなる彼らの帰国を認めるか否か。また認めたとして、殺人やレイプなどを働いていた場合、国内法で裁けるのか……。多くの国が頭を痛めているのです。

◉

　ISIL軍団との戦いで、世界学校の生徒たちはある教訓を学んだ。それは伊拉久くんに対して行ったような強い教育的指導では、その後のメンタルケアと学習プログラムをしっかりと用意しておく必要があるということだ。そうでないと、ISIL軍団のような者が、心の隙を狙い近づいてくるからだ。

　そしてもうひとつ。ISIL軍団のような危険な考え方をする者を支持する生徒が、少なからずいる――。これも世界学校の生徒たちが学んだ教訓だった。

シリア・イラク入りした「外国人戦闘員」
110カ国出身の4万人以上がシリア・イラクに渡航

英国 850人
スウェーデン 300人
キルギス 500人
ロシア 3,417人
カナダ 180人
ドイツ 915人
フランス 1,910人
タジキスタン 1,300人
米国 129人
パキスタン 650人
トルコ 1,500人
インドネシア 600人
モロッコ 1,623人
サウジアラビア 3,244人
チュニジア 2,926人
オーストラリア 165人

※米国情報調査会社「The Soufan Center」報告書（2017年10月）を参考に作成

＊3【ISILの義勇兵】＝外国人戦闘員は延べ4万人以上とされ、帰還者は中東が約2000人、欧州が約1200人、アフリカが約1000人、中央アジアが約500人などとなる

シャルリー・エブド襲撃事件とゆらぐ多様性

「多様性」を大切にする仏蘭西が突きつけられた現実と苦悩

仏蘭西くんは漫画研究会と演劇部に入っている。漫画研究会では同人誌にコミカルな漫画を描いており、文化祭ではそれを原作にしたオリジナルの劇を演じていた。生徒たちにもウケが良く文化祭の目玉でもあるのだが、今回はやりすぎたのか……。ある宗教を少しばかりイジったところ、その宗教を信じる生徒の怒りを買い、襲われてしまったのだ。いったい、何が起きたのか?

フランス 誰かを侮辱するつもりなんてなかった……

フランスの風刺週刊新聞『シャルリー・エブド』の本社がイスラム過激派に襲撃され、社内にいた漫画家やコラムニスト、警護の警官を含む計12人が殺害されたのは2015年1月7日でした。容疑者はアルジェリアからの移民2世の2人で、治安部隊と銃撃戦を展開したあげく、死亡しました。

2人が犯行に及んだ原因は、『シャルリー・エブド』が預言者ムハンマドを茶化す風刺画をたびたび掲載していたことにあります。新聞社側がイスラム教ではなくイスラム過激派を風刺したつもりでいても、自分たちこそもっとも純粋なムスリムと自負する者には通用せず、さらに細かく説明をしても怒りを増幅させるだけでした。

この事件で思い出されたのが、小説家のサルマン・ラシュディです。彼の著作『悪魔の詩』[*1]はイスラム世界から強い反発を招き、イランの最高指導者ホメイニーは死刑を宣告。殺害の対象

● 2015年の日本の出来事＝安全保障関連法が成立。ISILが邦人人質を殺害。環太平洋連携協定（TPP）交渉が大筋合意。川内原発が再稼働

はその本を各国語に翻訳した人々にも及びました。

　日本語版の翻訳を担当したのは筑波大学の五十嵐 一(いがらしひとし)助教授でしたが、1991年7月に学内で殺害されています。夏休み中で学内に人が少なかったせいで、目撃証言は皆無。犯人はいまだ不明のままです。ラシュディ自身も2022年に襲われ重傷を負っており、宗教上の罪に時効はなく、忘れられることもなかったのです。

　『シャルリー・エブド』の場合、風刺の対象がイスラム過激派限定と納得してもらえても、彼らの怒りを鎮めることはできなかったでしょう。偶像崇拝を禁じるイスラム教では、ムハンマドの顔[＊2]を描くこと自体が、神を冒涜(ぼうとく)する行為にあたるからです。

　仏蘭西くんを襲撃した生徒は他のクラスの生徒だが、彼のクラスは差別もいじめもひどい。そんな彼にとって「多様性」、つまり、互いの価値観を否定せずに認め合うことを大切にする仏蘭西くんは憧れの的。暇を見つけては仏蘭西くんと親しくしていたのだが、今年の文化祭の劇を見たその生徒は裏切られた気がした。「僕が信じる宗教を否定している……」

　それが襲撃事件の動機だった。

フランス　僕の批判精神は生い立ちのなかで芽生えた

　『シャルリー・エブド』の報道姿勢にも、一定の節度はあるべきだと内外から多くの批判が寄せられました。

　バチカンの教皇からも同じ趣旨の声が寄せられましたが、彼らに方針を改める気はありません。いっさいの聖域を認めず、相手が誰であっても鋭く切り込んでいく——それが風刺のあるべき姿という信念で動いているからです。

　同紙の報道姿勢は近世以降のフランス社会に一貫した軸足であり、フランス革命に始まる長い闘争を経て確立させた「ライシテ（政教分離）」の原則とも深く関係します。

　絶対王政下のフランスは聖域とタブーに満ち溢れ、人々は不満

＊1【悪魔の詩】＝インド生まれのイギリス系アメリカ人作家サルマン・ラシュディが、ムハンマドの生涯を題材に書いた小説。1988年に出版された

のはけ口を地下出版に求めます。そこにはストレートな批判もあれば、風刺を効かせた批判もありました。

　フランス革命で旧体制がひっくり返されると、いったん、いっさいのタブーがなくなりますが、当然ながら揺り戻しもあり、それは政教分離確立への道と重なります。共和主義[＊3]を信奉する人々とカトリック教会との関係は水と油で、争いに決着がついたのは19世紀末でした。

　初等教育からの教会の追放、公（おおやけ）の場での宗教的シンボルの誇示を禁止するなど、生活の身近なところから政治の中枢に至るまで、政教分離が徹底されたのです。これと同時に、教会や聖職者はもちろん、神を風刺の対象とすることさえ、完全に自由化されました。王政復古は二度とないというので、国内の過去の王室に加え、海外の現役の王室であってもタブー視しない姿勢が根付きます。

　キリスト教以外の宗教も例外としない姿勢は、「さすがはフランス」と賞賛されつつも、異なる文明とのあいだに軋轢（あつれき）を生むのではと懸念する声もありました。そして、フランスで中東系の移民が増えるにともない、その懸念が現実的な問題となったのです。

　フランス革命で掲げられた「人権宣言」のなかには、「人が生まれながら持つ権利」や「生命、自由、財産の権利」が明言されています。しかし、政治と宗教だけでなく、宗教と日常生活を不可分とするイスラム文明とは折り合いがつかない部分もあります。

　人権宣言も政教分離も、内にイスラム文明を抱え込む状況を想定していないから、いざ増え続ける移民たちがアイデンティティを見つめ直そうとしたとき、軋轢が生じたのでした。

　自由と多様性を認めるいっぽうで、異文化を排除する。自由と多様性にも規制の枠組みがあるから、移民もそれに従えと突き放すのか、それとも、世界に先駆けて枠組みの再構築を図るのか……。人権問題では世界の最先端を走り続けたフランスが、今、大きな正念場を迎えています。

◉

＊2【ムハンマドの顔の描写】＝トルコ語圏とイラン語圏では描くこともあるが、アラビア語圏では通常、顔の部分だけ白抜きにするか炎に置き換える

　アフリカクラスや中東クラスには教室で自分の居場所がない者も多く、しばしば彼らは休み時間や放課後に、「多様性」を謳う欧州クラスに顔を出していた。自分を仲間として受け入れてくれるし、ありがたいことに勉強も教えてくれる。

　だが、最近感じることがある。彼ら欧州クラスの生徒が認める価値観のなかに、自分の価値観は含まれていないのではないか？「多様性」と言いながらも、じつは閉鎖的……。

　欧州クラスの生徒とは仲良く付き合っているが、皆、仮面を被っているのか？　何とも言えない、疎外感を感じるのだ……。

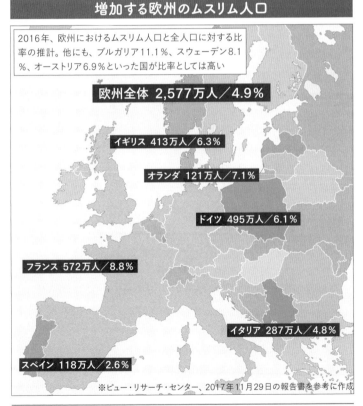

増加する欧州のムスリム人口

2016年、欧州におけるムスリム人口と全人口に対する比率の推計。他にも、ブルガリア11.1％、スウェーデン8.1％、オーストリア6.9％といった国が比率としては高い

欧州全体 2,577万人／4.9％

イギリス 413万人／6.3％

オランダ 121万人／7.1％

ドイツ 495万人／6.1％

フランス 572万人／8.8％

イタリア 287万人／4.8％

スペイン 118万人／2.6％

※ピュー・リサーチ・センター、2017年11月29日の報告書を参考に作成

＊3【共和主義】＝国家が国王に支配される君主政に対し、君主を置かずに、国民から選ばれた代表者のみで国家を統治（共和政）すべきとする考え方

イギリスのEU離脱と反グローバリズムの波

欧羅巴連合を脱会した英吉利は
得をするのか、損をするのか?

「聞いたか? 英吉利が欧羅巴連合を抜けるってさ!」

英吉利くんの欧羅巴連合脱会がついに現実のものとなり、欧州クラスはもちろん世界学校が大騒ぎだ。かねてより噂になっていたが、「ぎりぎりで思い留まるのでは?」との楽観的な見方もあった。いったい、英吉利くんは何を考えて、欧羅巴連合を脱会したのだろうか?

イギリス 僕の基本的スタンスは「独自路線」なんだ

イギリスは、戦後の復興の多くをアメリカのマーシャル・プランに頼りました。そういった経緯もあるため、その後も欧州大陸に依存するのではなく、対米依存を基本方針としました。

そのため、1958年に欧州経済共同体（EEC）が結成されても加盟せず、EECに非加盟の北欧や中欧諸国と欧州自由貿易連合（EFTA）を1960年に結成。独自路線を歩みますが、EEC加盟諸国の経済成長が著しくなるとEECへの加盟を打診します。

しかし、過去に袖にされた経緯があるため、フランスなどがなかなか首を縦に振ってくれません。その後、EECは欧州共同体（EC）に発展します。そして、1973年になってようやくイギリスのEC加盟は認められます。

しかし、イギリス国内では最後まで加盟に否定的な声があり、加盟後も得より損のほうが大きいとの懐疑論が根強く叫ばれていました。そのため、1993年にECが欧州連合（EU）に発展的解消

● 2016年の日本の出来事＝天皇、退位の意向示唆。熊本地震が発生、死者150人超。オバマ米大統領が現職として初めて被爆地・広島を訪れる

を遂げたときも、単一通貨ユーロ[*1]の導入を保留したのです。

その後、リーマン・ショックをきっかけとする世界同時不況の後遺症が長引くなか、イギリスでは再びEU懐疑論が頭をもたげてきます。イギリスは「栄誉ある孤立」[*2]の国ですから、実益よりプライドに訴える論調が激しさを増していき、2016年6月24日にはEUから離脱（ブレグジット）の是非を問う国民投票が実施され、離脱支持が僅差で勝利を収めました。

移行期間があるため、実際に離脱が実行されるのは2020年1月31日。それまでに、新たな経済関係においてどれだけ良い条件を引き出せるかが大きなカギとなりました。

◉

勉強会の欧羅巴連合には、いくつかのルールがある。それは、互いのノートを見せ合う、毎週金曜日の放課後は全員で共同学習、他のクラスの生徒に頼まれたら勉強を教えてあげるなどだ。最後のルールは、欧羅巴連合がいずれは世界学校のリーダーにならんとする意思の表れだ。素晴らしい……。だが元々、英吉利くんはプライドが高く、他の生徒とひとくくりにされることを好まなかった。正直、最近、欧羅巴連合に縛られるのがうっとうしい。本当にメリットがあるのか？　英吉利くんは疑問を感じていた。

イギリス 僕から離れる仲間が出るかもしれないな……

投票結果後、多くのフェイク[*3]と興味深いファクトが明らかにされます。フェイクは、ブレグジット推進派の政治家やメディアが発していた、EU加盟のために被る不利益や脅かされている権利の数々で、9割以上が根も葉もないデタラメでした。一方、興味深いファクトとは統計に見える明らかな投票行動です。

年齢別では18歳から24歳の73％が残留に投票。年齢が上がるほど残留派が減り、65歳以上では40％にまで落ち込みます。グローバリズムを自明のこととして受け入れている若年層と、「古き良きイギリス」を懐かしむ中高年層という対比です。

---

*1【単一通貨ユーロ】＝1999年1月1日から導入された。EU加盟27カ国中、2022年11月時点でポーランド、スウェーデンなどを除く19カ国が導入している

また、地域別では残留派が過半数を占めたのは、スコットランド、北アイルランド。イングランドとウェールズでは離脱派が過半数を占めましたが、イングランドではロンドンとその近郊で、残留支持が上回りました。

　最も重視された論点は、推進派が主権問題と移民問題で、残留派は経済問題。推進派の政治家による「主権を取り戻せ」という声高な叫びに一定の効果があったのは明らかです。

　すでに離脱と決まった以上、イギリス政府の成すべきは、正式な離脱後の道筋を明示することと連合体制の再確認です。イギリスの正式国名「グレートブリテンと北アイルランド連合王国」からも明らかなように、グレートブリテン島を構成する3つの国（イングランド、スコットランド、ウェールズ）と、北アイルランドが同じ君主を戴くことになっています。

　主導権を握るのはイングランドで、スコットランドには独立運動、北アイルランドにはアイルランド共和国との統合を模索する動きがあります。スコットランドは2014年実施の住民投票でイギリス残留に決しましたが、ブレグジットを巡る投票では残留支持が62％も占めたため、イギリスからの独立とEUへの加盟を目指す動きが再度本格化することが予想されます。

　一方の北アイルランドはグレートブリテン島とは海で隔てられながら、陸路でアイルランド共和国と直接つながることから事情が複雑です。実際問題として、EU加盟国であるアイルランド共和国と北アイルランドの国境すべてに税関を設置して、積荷の検査と関税の徴収を行うのは大変な手間です。しかし、非課税での通過を許すわけにもいきません。

　かくして、キリスト教宗派の違いで対立していたのが嘘のように、思わぬ形でアイルランド統一の気運が生じる事態となりました。この地域に限れば、グローバリズム云々よりも、経済第一の考え方が濃厚です。

●

＊2【栄誉ある孤立】＝19世紀のイギリスは工業力と海軍力で他国を圧倒しており、直接に大陸諸国と同盟を結ばない非同盟外交政策の姿勢を示していた

欧羅巴連合から抜けたものの、英吉利くんは彼らとゆるい付き合いができることとなった。だが、これからは、基本的に自分ひとりで勉強をしていく。それが吉と出るか凶と出るかはわからない。にしても、以前から出ていた話とはいえ、自分に従う3人の仲間のうち2人が、彼からのひとり立ちを意識し始めた。

「まったく、思わぬ副産物だな……」

　英吉利くんはひとり呟いた。

イギリスのEU離脱のメリット・デメリット

EUとの自由貿易協定（FTA）を合意し、これまで通り関税ゼロで貿易できることになった

関税

国境での通関手続きが復活し、書類審査や積荷検査などで時間や手間がかかる

移民の増加でイギリス人の雇用が少なくなったり、治安が悪化するなどの不安が軽減

移民政策

中東欧諸国からの低賃金で雇用できた移民が減り、労働力が低下

独自の通商政策を取ることができるようになる

通商政策

アメリカとの自由貿易協定は締結に向けて難航

その他、漁業権・漁獲量などにも影響が出ると考えられる

＊3【離脱推進派のフェイク】＝当時のジョンソン首相は「EUへの巨額の拠出金の支払いを回避できる」など離脱のメリットを多く主張したが、大半が事実とは異なった

欧州難民危機とポピュリズム政党の躍進

独逸、仏蘭西、伊太利亜の
欧羅巴連合への不満が噴出!

独逸さんと仏蘭西くんはちょっと機嫌が悪い。希臘くんと葡萄牙さんが欧羅巴連合の足を引っ張るからだ。学習意欲が低く端から独逸さんと仏蘭西くんのノートを当てにしており、しかもテストの点数は悪い。

「何で私たちが面倒を見てやらなきゃいけないの!?」

何かと尻ぬぐいをする、優等生の独逸さんと仏蘭西くんが不満を感じるのも当然のこと。しかも、この優等生コンビ、それぞれが欧羅巴連合に対する疑問を抱えていたのだ。

ドイツ EUのおかげで潤ってはいるけど不満もあります

2016年には衝撃的な出来事がふたつ起きました。それは、イギリスのブレグジット決定と、アメリカ大統領選挙におけるドナルド・トランプの勝利です。急ぎすぎたグローバリズムへのちょっとした反動ですめば良いのですが、世界秩序が崩壊する前触れではないかと、何とも言えない不安感が世界中を走りました。

グローバリズムへの反動という点では、EU自体への期待と信頼も大きく揺らぎました。ギリシャとポルトガルの経済危機は何とか収束が見えてきましたが、優等生のドイツやフランスで不満が高まっているのです。

EUの存在により、最も潤っているのがドイツですが、そのドイツも問題を抱えています。とりわけ旧東ドイツ市民には、他のEU加盟国や移民、難民のほうが自分たちより優遇されるのはおかし

●2017年の日本の出来事＝天皇退位の時期が2019年4月末に決定。衆院選で自民大勝、民進党は3分裂。森友・加計・日報の3問題が政権を揺るがす

いという思いが強いのです。その心理から歴史ある政党への支持率低下が止まらず、極右やポピュリズム[＊1]政党に票が流れるようになりました。

　なかでも注目を集めたのは、2013年に「脱ユーロ」と「ドイツ・マルク復帰」を掲げて結成された「ドイツのための選択肢」[＊2]です。同党は新自由主義的な経済学者と極右とのあいだで内部抗争が勃発。最終的に極右が勝利を収め、反移民・難民、反イスラム、治安重視を鮮明に打ち出してから、一時支持率を落とします。しかし、難民危機（P135図参照）の到来とともに盛り返し、2017年9月の連邦議会選挙では12.6％を得票。一気に第三党（野党第一党）に躍り出ました。

　とはいえ、「ドイツのための選択肢」に投票した有権者の6割は「他党への失望」を理由に挙げており、同党の主張に賛同している人は3割にすぎません。岩盤に近い支持基盤は旧東ドイツ市民で、上乗せ分は政権与党の常連、保守政党のキリスト教民主同盟の中道化に不満を抱く人々が流れてきた形です。

「ドイツのための選択肢」が期待外れとあれば、すぐさま離れていく可能性は大いにあります。

◉

　欧羅巴連合のルールのひとつに、他のクラスの生徒に頼まれたら勉強を教えてあげるがある。だが、このところひっきりなしに、中東クラスやアフリカクラスの者が勉強の機会を求めて、欧羅巴連合のメンバーの元を訪れてくる。

　休み時間、昼休みに彼らに勉強を教えるのだが、こうも数が多いと負担だ。するといつの間にか、メンバーのあいだで受け入れに対する温度差が生じ、押し付け合いまで始まってしまった。今の欧羅巴連合はギクシャクしている……。

イタリア 僕も最近、反EUに傾きつつあるひとりだよ

　フランスでは「国民戦線」が台風の目どころではない状況にな

＊1【ポピュリズム】＝大衆に迎合するような政治姿勢。アメリカではポジティブな意味合いに、ファシズムを経験した欧州諸国などではネガティブに用いられる

っています。ジャン＝マリ・ルペン[*3]が設立した同党は明々白々な極右政党でした。しかし、娘のマリーヌ・ルペンが党首を継いでからは全体主義や反ユダヤ色を排除するなどのソフト化路線を進め、大幅に支持層を拡大。難民危機も追い風となって2017年の大統領選挙では決選投票まで勝ち残り、下院議員選挙でも8人の当選者を出すまでになりました。

　彼女が大統領になることはなくとも、「国民戦線」が政権与党に加わる可能性は近い将来にあり得ます。実際に責任ある地位に就いたとき、どのような政策を実行するのか注目されます。

　ポピュリズム政党といえば、極右との親和性が高いイメージがありますが、イタリアの場合は異なります。2009年に設立された「5つ星運動」は反EUを掲げながら、持続可能な発展や環境主義を前面に掲げていることから、左派ポピュリズム政党に分類されています。

　「5つ星」とは5つの主要目標を指しており、インターネットへのアクセス権も含まれています。テレビ局はすべて既存政党の影響下にあるとして、国民の誰もがインターネットで自由に情報の獲得と交換のできる権利を持ち、国家権力にこれを犯させてはならないとの主張です。それだけに、そのアピールはインターネット、SNSと広場での集会に力点が置かれ、若者にとって敷居の低いものとなっています。

　2013年の総選挙では第二党に躍進、2014年には欧州議会への進出も果たし、2016年にはローマとトリノの市長選挙でも勝利を収めます。しかし、他の政党や国際的な組織との連携はうまくかず、得票率に比例した成果を上げられずにいます。

　2018年には右派政党との連立政権下、公約として掲げた年金支給年齢の引き下げを実行します。しかし、2021年までに65歳から67歳に引き上げられる予定であったのを、62歳以上であればただちに受給可能と改めたところ、公務員を中心に退職する労働者が急増して、にわかに労働力不足が生じる事態に陥ります。

＊2【ドイツのための選択肢】＝党名は当時のメルケル首相が欧州経済危機に対して、ユーロ支援以外に「選択肢はない」と述べたことへのアンチテーゼに由来

移民の受け入れに否定的では、足りない労働力をどうするつもりなのか。明確な財源のあてもないなど、いかにもポピュリズム政党らしい、大きな課題を抱えています。

◉

独逸さんと仏蘭西くんの両リーダーも、他のクラスの生徒に勉強を教えてあげるのが重荷になっていた。その時間を自分のために使えば自分のためになるし、欧羅巴連合のメンバーがこのルールに不満を持つのも理解できる。しかし、このルールは勉強会の結成当時から掲げた理念でもある。簡単に捨てることはできない。欧羅巴連合の模索はまだまだ続きそうだ……。

「欧州難民危機」とは何か?

中東のシリアや北アフリカなどから、紛争や内戦などを逃れ、EU域内の国にくる人々が**2015年**をピークに急増

EUには以下の規則がある

●**ダブリン規則**＝難民が最初に入国したEU構成国が難民認定審査を行う

●**シェンゲン規則**＝EU加盟国間では、出入国審査なしに国境を自由に往来できる

しかし、貧困から逃れるために移動してきた難民とは言えない人々も多く、対応をめぐり**EU加盟国間で対立**が生じた

しかも、難民が暴行などの事件を起こすこともあった……

＊3【ジャン＝マリ・ルペン】＝反ユダヤ主義発言などで党の足を引っ張り、娘と確執が深まる。のちに娘が父を追放したことで、党のイメージアップを図ることができた

トランプ支持の背景と米朝首脳会談の思惑

世界学校を掻きまわす亜米利加(アメリカ)
何が一強リーダーを変えたのか!?

　ソフトモヒカンで「僕には夢がある」が口癖だった亜米利加(アメリカ)くんが、髪の毛をトサカのように固めて、「俺、ファースト!」と連呼するようになったのは昨年からのこと。その変貌ぶりに、生徒たちは驚いた。しかも、隣の席の墨西哥(メキシコ)くんに一方的に絶交を宣言し、パーテーションを立てたのだ。以降、世界学校の誰もが先が読めない亜米利加くんの考えや行動に引きずり回されている。

　その彼が突然、「三悪人」と名指しした北朝鮮くんとサシで話し合いをすると言い始めたのだ。何のために?　そもそも何が亜米利加くんを、ここまで変えてしまったのか?

アメリカ　とにかくこれからは「俺、ファースト」でいくから

　初の女性アメリカ大統領誕生——。

　2016年のアメリカ大統領選挙で、日本のほとんどのメディアは、それを信じて疑いませんでした。共和党の大統領候補に決まってもなお、日本ではドナルド・トランプは泡沫(ほうまつ)候補と見られていました。ましてや万が一当選されて、公約を実現されたら大変なことに……。それは多くの人が抱いた不安だったでしょう。

　環太平洋パートナーシップ（TPP）[＊1]への不参加、京都議定書からの離脱、メキシコ政府の全額負担による国境の壁の建設。さらには、在韓・在日の米軍を含めた在外米軍の撤退など、トランプの公約には、日米関係の根幹を揺るがしかねないものも含まれていました。しかし、アメリカ国民はトランプを選びました。

●2018年の日本の出来事＝オウム松本元死刑囚らの刑執行。日産ゴーン会長を逮捕。財務省が森友文書改ざん、20人処分。西日本豪雨、北海道地震など災害が相次ぐ

2016年11月8日の投票日翌日から、各メディアはトランプの勝因についての解説を垂れ流し始めました。

　民主党の候補ヒラリー・クリントンにアンチが多いのは事実でしたが、常套句（じょうとうく）のごとく使われた言葉が「隠れトランプ支持者」でした。そして「アメリカ・ファースト」、この言葉が多くのアメリカ人の心に響いたと言うのです。

　少し遅れて、「ラストベルト」「バイブル・ベルト」「福音派」[*2]「反エリート主義・反知性主義」など、ほとんどのメディアが取り上げることを避けてきた言葉が連発されるようになります。

　これはメディアに限った話ではありません。専門家や自称アメリカ通の日本人のほとんどが、ワシントンとニューヨークといった自分が見たい部分だけをもってアメリカについて語ってきました。アメリカのリベラルな一面しか見ない――そんな習慣がついてしまったからこそ、日本ではトランプの当選を予想できた人間がほとんどいなかったのです。

　2017年1月に大統領に就任してから、トランプ大統領は本当にTPPへの不参加、京都議定書からの離脱を実行。アメリカの国益、それも目先の利益だけを追求する政策を連発させていきます。

　トランプ政権は前代未聞でした。2018年には国務長官のレックス・ティラーソン、司法長官のジェフ・セッションズ、2019年には国防長官のジェームズ・マティスが政権から去っています。2017年には盟友である首席戦略官・上級顧問のスティーブ・バノン、国家安全保障問題担当のマイケル・フリンが袂（たもと）を分かちました。ホワイトハウスの重要ポストがすべて埋まることが、最後までなかったのです。

◉

「校内最強のリーダーなのだから、学校全体のことも考えろと皆は言うが、誰だって自分の利益を優先させるだろ？　それは俺も同じだ！」

　亜米利加くんの「俺、ファースト」の姿勢は変わらない。だが、

＊1【TPP】＝オーストラリア、カナダ、チリ、日本、マレーシア、メキシコ、ベトナム、アメリカなど12カ国のあいだで、2016年2月に署名された経済連携協定

評判が悪すぎるのも考えものだ。このままでは、まずい。汚名返上のために、ひとつ、皆を驚かせてやるか（笑）。亜米利加くんは、
「北朝鮮くんと会う用意があるよ」
と学校の掲示板に書き込んだ……。

アメリカ 北朝鮮との話し合いは点数稼ぎが狙いだった

　2018年11月の中間選挙では、与党の共和党が上院の多数を維持するいっぽう、下院では野党の民主党が8年ぶりに多数党に返り咲きました。「ねじれ」[＊3]と呼ばれる状態になったのです。

　投票率は過去50年で最高を記録、18歳から29歳の若者の投票率が、4年前の21％から31％に上昇（タフツ大学の発表）した事実から、賛成か反対かはともかく、トランプ政権の誕生がアメリカ国民に覚醒をうながしたことは間違いありません。また、政権誕生の反動により、29歳という女性として史上最年少の連邦下院議員の誕生、ムスリム女性、先住民女性として初の下院入りなど、「初」が多いところも、この中間選挙の大きな特徴でした。

　こうなることが予想できたからこそ、トランプは外交でポイントを稼ごうとしました。同年6月に史上初めて実現となった米朝首脳会談は、まさしくその典型でした。

　北朝鮮の最高指導者、金正恩（キムジョンウン）はスイスへの留学経験を持ちながら、外交に活されているようには見えません。中国・ロシアとの友好は強調しながら、アメリカに対しては非難の声ばかりでした。

　しかも、2017年の7月4日には、わざわざアメリカの独立記念日に合わせて、大陸間弾道ミサイル「火星14」型の発射実験を行っています。

　トランプ側も、その年9月の国連総会で北朝鮮を名指しで非難。双方罵倒の応酬を繰り返していただけに、2018年6月に開催の運びとなった米朝首脳会談は、驚きが半分、実のある成果は期待できないと見る冷めた目半分の状況下で行なわれました。

　事実、トランプと金正恩が署名した米朝共同声明は具体性を欠

＊2【福音派】＝聖書の記述を忠実に守り、伝道を重視ことを旨とする。アメリカでは宗教別人口の約4分の1を占めるが、特定の宗派を指すものではない

くもので、トランプ自身も「時間が足りなかった」と、拙速にことを進めすぎたことを率直に認めています。もっとも、同年9月に平壌^{ピョンヤン}で開催された建国70周年記念行事では、従来の軍事パレードで披露されてきた大陸間弾道ミサイルは登場しませんでした。金正恩が見せた、精いっぱいの誠意だったのでしょう。

●

「まさか、亜米利加の野郎と握手をするとはなぁ……」

　話し合いが終わったあと、予想外の展開に北朝鮮くんもいささか驚いていた。しかし、実のある話し合いではなかったし、北朝鮮くんもこの話し合いが亜米利加くんによる、校内に向けた汚名返上のパフォーマンスであることは見抜いていた。「まあ、こっちも都合よく利用すればいい。いつコロリと態度が変わるかわからないし……」。北朝鮮くんは冷たい笑みを浮かべた。

「トランプ支持」を理解するためのキーワード

●ラストベルト
アメリカ中西部から
北東部に位置する、
鉄鋼や石炭、自動車などの
主要産業が衰退した
工業地帯

●バイブル・ベルト
アメリカの中西部から
南東部にかけて、
聖書の教えを重視する
キリスト教の保守派が
多く住む地域

●福音派
福音派の多くは中絶反対。
ヒラリー・クリントンと
その支持勢力が、人工妊娠中絶
容認派だった

**●反エリート主義・
反知性主義**
名門大学出身のエスタブリッシュメント
（既存の支配階層、ヒラリー・クリントン
は代表格）の指図などは
必要ないとする主義

こういった地域に住む人々、主義の人々が
トランプ支持に回った

＊3【ねじれ】＝アメリカの両議院は対等の関係にあり、上院と下院で過半数を占める政党が異なると、法案が通りにくくなる

2019年 ▶

香港で1日最大200万人の民主化デモ

香港が中国へ強烈に反発！
自由を守るための抗議行動へ

　小柄な香港さんは中国くんの仲間だが、彼女が正式に中国くんのチームに入るのはまだ先のこと。それまでは、「香港さんの自由を認める」という約束があった。その約束は世界学校の生徒の誰もが知るものだったが、最近は中国くんが約束を踏みにじり、香港さんを子分のように扱うようになってきた。

　もともと香港さんは英吉利くんの仲間だったから、自由を奪い支配的な中国くんとは水と油。「約束が違う！」と怒る香港さんだが、中国くんの干渉やマウントが強くなっていき……。

香港 中国に望むのは「約束を守る」、ただこれだけです

　マナーなどをめぐり、香港を観光に訪れた大陸客と香港人のあいだでトラブルが急増したのは2010年代に入った頃でしょうか。双方の感情が悪化するのを待っていたかのように、中国政府は香港への干渉を強めます。それは1984年12月に正式調印された中英共同宣言と、1990年4月に全国人民代表大会で採択された、香港基本法に反することばかりでした。

　イギリス植民地だった香港が中国に返還されたのは1997年です。植民地時代に普通選挙が実施されたことはありませんが、イギリス本土に準じた法が適用され、自由を満喫することができました。

　それは、勝ち取った権利ではなく与えられた権利ですが、自由な世界に生まれた世代にとって、中国政府による侵害は耐えられ

● 2019年の日本の出来事＝皇太子徳仁親王が第126代天皇に即位。消費税10％に、軽減税率導入。台風・豪雨で甚大な被害が発生。京アニ放火殺人事件で36人死亡

ることではありません。「一国二制度」による特別行政区としての香港、国防と外交以外は「高度な自治」を保証された香港は、香港に住む中国人にとって譲れない一線でした。

　資本主義制度を50年間変更しないという約束が、本当に守られるかとの不安はありました。しかし、世界がそれを知っている以上、体面を重んずる中国が破らないであろうという淡い期待もなかったとは言い切れません。

　1989年6月、民主化を求める学生や市民を、人民解放軍が武力で鎮圧した天安門事件[*1]に際して、香港で100万人規模のデモが起きました。当時の香港の総人口が600万人前後ですから、大規模なデモなのです。明日は我が身との思いがあったのでしょう。

　しかし、中国政府が国民の関心とエネルギーをナショナリズムと金儲けに向けるよう誘導した結果、大陸での民主化運動は下火となります。香港でも天安門事件の犠牲者を追悼する毎年6月4日を除いては、目立った動きは見られなくなっていきます。

　しかし2014年9月、香港行政長官の選挙に関して、中国政府が立候補の自由を阻む制度を決定したことをきっかけに、学生を中心にした抗議運動が開始されました。警察の催眠スプレーに対し、雨傘を開いて対抗したことから、「雨傘運動」と呼ばれます。

　運動への参加者が増え、長期化の様相を呈しても中国政府は撤回を拒否し続けました。しかし、2015年6月、香港議会が圧倒的多数で制限選挙法案を否決したため、中国政府のもくろみは崩れる形となりました。

◉

　自由な発言を許さない……。それが中国くんのやり方だ。彼がリーダーを務めるチームは、建前こそメンバーそれぞれが自分のことは自分で決めるルールになっている。でも、回鶻（ウイグル）さんも西蔵（チベット）くんも、完全に中国くんの子分扱いで、自由なんてまったくない。
　「いずれ私も、中国くんのチームの正式なメンバーになるのか……」
　そのときに備えるために、香港さんは中国くんに立ち向かった。

---

*1【天安門事件】＝中国の北京の天安門広場を中心に起きた大衆弾圧事件。1976年の第一次天安門事件と1989年の第二次天安門事件がある

2019年

中国 思いのほか香港の抵抗は激しかった……

　抗議の声を上げるのは賛成だが、暴力行為には賛同しない——。市民の大多数がそう考えていたので、一世を風靡した雨傘運動も尻すぼみになります。しかし、2019年2月に逃亡犯条例改正案が提案されたことをきっかけに、大規模な抗議活動が再発します。

　この改正案は、手配中の容疑者が香港にいた場合でも、容疑者の身柄を簡素な手続きだけで中国本土に引き渡せるようにするとの内容でした。明らかな刑事事件の容疑者に限られるならまだしも、すべての犯罪が対象では、中国政府に批判的な言動をするだけで、中国本土の拘置所へ送られることになります。香港の自由を守るためにも、断じて認めるわけにはいきませんでした。

　国防と外交を除いて、香港はすべて自由。言論・報道の自由なくして、香港の自由は成り立たない。3月から始まった抗議活動は、雨傘運動を上まわる大規模なものへと発展していきます。また雨傘運動と今回の抗議活動で、若き活動家のアグネス・チョウ（周庭）[＊2] などは、日本でも知られる存在になりました。

　香港行政長官のキャリー・ラム（林鄭月娥）はデモ隊の一部と警官隊が衝突した件に関し、「組織的な暴動」と非難します。しかし、この発言は火に油を注ぐ結果となりました。

　最大で1日に200万人（主催者発表）が繰り出した抗議活動は5カ月の長きに及びました。10月1日の建国記念日を平穏に迎えたかったのか、中国政府はラム長官に対し譲歩の意向を伝えたようで、9月4日、ラム長官は逃亡犯条例改正案を正式に撤回することを表明しました。

　中国政府が50年間は変更しないとの約束を平然と踏みにじり始めたことについては、失望と疑問しか感じません。しかし、政権を奪取するまでは蒋介石率いる中国国民党の一党独裁を批判し、建国時には中国民主諸党派と総称される8つの参政党[＊3] の存在を、中国は自慢の種としていました。それが、舌の根の乾かぬう

＊2【アグネス・チョウ】＝香港の民主活動家。「香港のジャンヌダルク」などと称えられる。日本語も達者で、来日して大学で講演を行った

ちに一党独裁を賛美するようになった過去を思い起こせば、この約束破りも何ら不思議ではないのかもしれません。

◉

　香港に自由なんて与えない──。過去の約束はどうあれ、今、中国くんはそう考えていた。回鶻も西蔵も、そして香港も、彼らに必要なのは僕が決めたルールを守ること。

「自由なんてむしろ危険だ。僕を中心とした体制を脅かしかねないからな」

　実質的に子分扱いをしている彼らに対し、中国くんは締め付けをさらに強める気でいた。

香港基本法と「一国二制度」

●香港基本法
正式名称は「中華人民共和国
香港特別行政区基本法」。
香港の憲法に相当する

●一国二制度
ひとつの国のなかに
社会主義と資本主義のふたつの
制度が共存していること

●特別行政区として国防・外交以外の「高度な自治」を保障
●資本主義制度を50年間変更しないと明記
●行政管理権、立法権、司法権を持ち、財政は独立
●国際会議などに「中国香港」名義での参加を認める etc.

しかし、中国政府は治安などを理由に介入を強めている

＊3【8つの参政党】＝中国には中国共産党以外に8つの政党があるが、野党ではなく、中国共産党の指導のもとで国家統治に参与する参政党の扱いとなる

世界を覆うパンデミックとポストコロナの行方

謎の新型ウイルスが
世界学校をパニックに陥れる

中国くんはこのところ咳が出て熱っぽく、体調がおかしい。学校で飼育しているウサギに噛まれてからだから、何かをうつされたのかもしれない。だが、保健室に行けば皆が知ることになるし、亜米利加くんあたりが「君は衛生意識が低いんだよ！」とか文句を言いそうだ。

「黙ってよう。そのうち治るだろう……」。しかし、中国くんの安易な判断が、世界学校に大パニックを引き起こしてしまった……。

中国 うまく対応できると思ったが、甘かった……

「新型のウイルスと言っても、SARS[*1]ほどではないだろう」

新たなる感染症が世界中に広がり、感染者数が増え続けても、このように楽観視する空気が2019年末には濃厚でした。しかし、2020年に入ると、「SARSどころかスペイン風邪[*2]に匹敵」とする不安が、瞬く間に拡散していきます。こうやって、世界は新型コロナウイルス感染症に飲み込まれていったのです。

新たな感染症の発生源は中国の湖北省武漢市でしたが、世界への公表が遅れに遅れ、初動の拙さが拡大に拍車をかけたことは否めません。中国社会の隠蔽体質に加え、中国政府がSARSから何ら教訓を得ていなかったことが明白になりました。

感染が拡大するなか各国は感染症対策に躍起になりますが、どこもドタバタ劇を演じるばかり。日本でも「アベノマスク」の騒ぎは記憶に新しいところです。新型コロナ対策をうまくやった国

● 2020年の日本の出来事＝新型コロナ感染拡大、初の緊急事態宣言を発令。東京五輪・パラが1年延期。安倍晋三首相が辞任表明。菅首相誕生、新内閣発足

をあえて挙げるなら、ITを駆使して国民に有益な情報を効率的に発信し、各人に適したアドバイスを送れるシステムを構築した台湾でしょうか。

　ところで、新型コロナの感染拡大により、世界ではいくつかのことが浮き彫りになりました。たとえば、自由と基本的人権を堅持する側と、私権の制限を平然と行う側――。この二極の鮮明化。

　私権の制限を平然と行う側のほうが、当初は有効に対処できているようにも思えましたが、それは一時的でしかありませんでした。感染の再拡大に加え、政府の強権とミスリードに対する民衆の怒りが高まりつつあるからです。

　私権の制限を平然と行う側の国としては、インド、ブラジルなどが挙げられますが、最も明確なのが中国でした。

　感染拡大直後から、一貫して「ゼロコロナ」[＊3]政策を続けてきた中国では、度重なるロックダウンの甲斐もなく、断続的な変異種の発生と感染拡大が繰り返されています。ロックダウンの防疫効果よりも、経済活動をもストップさせる荒業による弊害のほうが大きく、「ゼロコロナ」に執着する習近平政権への不満と怒りもじわじわと高まっています。

「ゼロコロナ」の維持に関しても、「世界で唯一、中国だけがそれをやり遂げた」という点を誇りたいがためです。ゆえに意地でやっている感が強く、法治ではなく人治の国であることを改めて感じさせられます。

　じつは中国では、新型コロナがもたらした思わぬ効果がありました。長期逃亡中の指名手配犯が続々と逮捕されたのです。それは、PCR検査で身分証の提示ができない、あるいは拒んだのをきっかけに調べが入った結果でした。

　これも国民総監視体制がいかに強力かという証であり、喜んでもいられません。基本的人権にますます背を向けていく中国を見限り、撤退を決める外国企業が続出するのも無理もないでしょう。

●

＊1【SARS】＝重症急性呼吸器症候群。2002年から2003年にアジアやカナダを中心に感染が拡大した。中国南部の広東省が起源とされる

保健室から報告されてくる生徒の感染状況を見た国連先生は言葉を失った。感染が波のように押し寄せ、しかもどんどん高くなっている。日本くんが仕切るはずだった4年に一度の大体育祭は延期になり、学校中でエゴにまみれた生徒間での薬の争奪戦が始まった。世界学校は国連先生の記憶にないほどの、大パニック状態に陥ったのである。

国連先生 皆で力を合わせようと言ったのに、これでは逆だ！

　最初はマスク、その次はワクチン、そして食品や日用品……。感染拡大とともに、各国間の物資争奪戦も拡大しました。その原因としては生産や流通が滞ったことに加え、生産拠点の集中が挙げられます。

　中国は「世界の工場」と呼ばれていますが、感染拡大による影響が日本ではとりわけ顕著でした。消毒液とマスクが店頭から姿を消し、増産しようにも中国にある工場では国内向けを優先させて輸出用はあと回し。食料品から家電に至るまで生産を中国に頼っているために、多くのモノが慢性的な品不足に陥りました。

　また、中国経済の減速が世界経済に与える影響も気になるところです。国際通貨基金（IMF）は2022年に、世界経済の「地域別の予測」（P147参照）を出していますが、これも「ゼロコロナ」が失敗すれば大きく変わるでしょう。

　ところで、「世界の工場」である中国で稼働がストップすると、世界中がモノ不足に見舞われるという悪循環を断ち切るには、生産拠点の多角化が必須です。これには、新たに低賃金で働ける労働力を提供可能な国か地域を選ぶ、生産拠点を国内に回帰させる、さらには、両者を併用する方法が考えられます。

　生産拠点の問題については日本でも語られてきました。しかし、安いものに囲まれ暮らすことに慣れた消費者の意識を変えるのは困難で、それが変わらなければ生産拠点も変えられません。

　たとえば、私たち消費者が安くて使い捨て前提のものと、長く

＊2【スペイン風邪】＝1918年から1920年に世界的規模で感染が拡大した。当時の世界人口の30％ほどが感染し、5000万〜1億人が死亡したとされる

使い続けるものとを明確に分けるといった意識を持てば、それに準じた生産拠点を作ることができます。このように解釈すれば、新型コロナの大流行から私たちが学ぶこともありそうです。

●

　謎のウイルスの感染拡大から2年後、世界学校ではマスクをした生徒もほとんど見かけなくなり、だいぶ日常を取り戻しつつあった。だが中国くんだけは、白い防護服で身を固め、学校内でひとり異様な雰囲気を漂わせている。「防護服を脱いだあと、どうなるんだろう……」。ここのところは強気に振舞ってきたが、内心、中国くんは怖くてしょうがないのだ。

　そして他の生徒たちも、学校内でも有数の実力者である中国くんのこれからを不安視していた……。

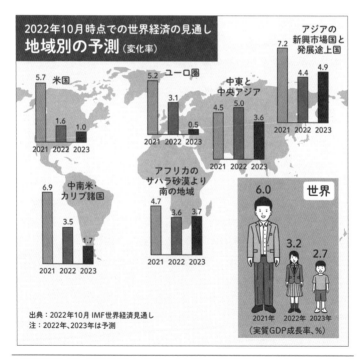

2022年10月時点での世界経済の見通し
地域別の予測（変化率）

米国 5.7 1.6 1.0 2021 2022 2023

ユーロ圏 5.2 3.1 0.5 2021 2022 2023

中東と中央アジア 4.5 5.0 3.6 2021 2022 2023

アジアの新興市場国と発展途上国 7.2 4.4 4.9 2021 2022 2023

中南米・カリブ諸国 6.9 3.5 1.7 2021 2022 2023

アフリカのサハラ砂漠より南の地域 4.7 3.6 3.7 2021 2022 2023

世界 6.0 3.2 2.7 2021年 2022年 2023年 （実質GDP成長率、％）

出典：2022年10月 IMF世界経済見通し
注：2022年、2023年は予測

2020年

核保有国不参加のなか核兵器禁止条約が発効

"究極の武器"廃絶の願いと世界学校で交差する理想と現実

　世界学校では、相手に深い傷を負わせ、使い方しだいでは学校を木っ端みじんにして全生徒を死に至らしめる"究極の武器"が長年の問題になっていた。そこで国連先生の音頭で、「作らない・持たない・使わない・脅さない」を原則とした、「究極の武器ゼロ運動」が提唱されていた。だが、肝心の武器を持つ生徒が参加をしない。丸腰になったら一気に立場が弱くなるから参加しないのだろうが、「究極の武器廃絶」は、世界学校全生徒と、生徒でなくとも身を寄せる者、共通の願いなのだ……。

国連先生 これだけ多くの者が賛成をしているのに……

　唯一の被爆国である日本が不参加──。

　予想されたこととはいえ、2021年1月22日をもって発効となった核兵器禁止条約[*1]に日本が不参加であることは、大きな失望をもって迎えられました。同条約は1996年4月、核兵器の廃絶を求める各国の科学者らを中心とする3つの国際NGOの訴えに始まるもので、国連本部で長らく議論が続けられてきました。

　1970年締結の核拡散防止条約は、すでに核兵器を保有していた5カ国（米・ソ・英・仏・中）を除いては、核兵器の所持も開発も認めないとする内容でした。しかし、条約に未加盟のインドとパキスタンは保有を公言、イスラエルも保有をほのめかしています。北朝鮮は条約脱退後に核実験を重ねているので、保有国に数えてよいでしょう。

● 2021年の日本の出来事＝大谷翔平がメジャーMVPを獲得。東京五輪で最多58メダル。新型コロナのワクチン接種開始。秋篠宮家の長女眞子さまが結婚

国連本部では2017年７月の核兵器禁止条約交渉会議において採決をとりますが、賛成122票、反対１票、棄権１票という圧倒的多数で採決されながら、核保有国はのきなみ採択不参加。日本を含む米軍の核の傘の下にある国や軍事同盟を結ぶ国々も、オランダを除き不参加で、実効力に疑問の残る結果となりました。

　日本は中国、ロシア、北朝鮮と国境を接し、米軍の核の傘の下にいるのですから、不参加はやむをえなかったのでしょう。

　しかし、日本は世界で唯一の被爆国で、どの国よりも核兵器の恐ろしさを知っています。その矜持（きょうじ）を見せてほしいところでした。「理想論」との声も聞こえそうですが、唯々諾々（いいだくだく）とするだけでは軽んじられるばかりです。

　米軍を抱える点は韓国やフィリピンも同じですが、この両国政府は日本ほどアメリカに従順ではありません。沖縄県民の対米感情、対米姿勢こそが米軍基地を抱える国々のスタンダードなのです。

　また、訪日時に広島と長崎に足を運ぶ海外著名人[＊2]は少なくありません。その多くが日本人と日本政府の対米姿勢、対米感情に首をかしげます。日米安保体制の維持と核兵器廃絶の願いは共存可能です。まずは、これを日本人全般に広く共有させる必要がありそうです。

●

　日本くんは世界学校で唯一の"究極の武器"の被害者だ。その悲劇を風化させてはならないと思っているし、「究極の武器ゼロ」の理想を捨てるつもりもない。だが、彼は中国くん、露西亜（ロシア）くん、北朝鮮くんという武器を所持する、所持すると思われる３人の生徒と席を接している。しかも北朝鮮くんは日本くんに向けて、実験と称してはいろいろ飛ばしてくる。そんな日本くんにとって、亜米利加（アメリカ）くんの"究極の武器"の傘は現実的に必要なのだ……。

国連先生「誰も使わない」という言葉を信じていいのか!?

　互いが核兵器を所有するから、破滅的な戦争を回避してこられ

＊1【核兵器禁止条約】＝核兵器の開発、実験、保有、使用、核兵器による威嚇などを、全面的に禁止する内容

た──。これが「核抑止論」の根本的な考え方です。一定の事実が含まれるのは認めますが、核保有国が増えたために説得力が減免したことも否めません。安易に使用される恐れが高まってきたからです。

ロシアが自暴自棄になって、核兵器搭載のミサイルをすべて発射すれば、地球上の人類はあっさり滅んでしまいます。中国は長距離ミサイルの保有数が少ないので人類瞬殺はできなさそうですが、地球を人類の生存が不可能な状態にするのは可能でしょう。

しかし、これら核兵器の保有を公認されている国々より危険な存在なのがインド、パキスタン、北朝鮮です。

2019年10月3日配信の『ニューズウィーク日本版』[＊3]に、「印パ核戦争の推定死者1億2500万人、世界中が寒冷期に」と題した記事が掲載されました。内容はある新論文によるもので、「軍拡競争を続けるインドとパキスタン。隣国同士の局地戦でも影響は地球全体に及ぶのが広島や長崎の原爆とは違うところだ」という見出しが目を引きます。インド洋の核汚染が広がれば、海の生態系の回復には長い歳月が必要で、核の影響から完全に復活するには、10年はかかると指摘しているのです。

パキスタンが核保有の道を選んだのは、人口差ゆえに、通常兵力ではインドに対抗できないからです。2021年10月に新型コロナに感染して亡くなったアブドル・カディル・カーン博士は「原爆の父」として、パキスタン国内では死後も英雄視されています。

しかし、西側諸国からは「史上最大の核拡散者」と呼ばれ、怒りの集中砲火を浴びせられ続けました。北朝鮮やイラン、リビアなどに核開発の機密を提供していたからです。

2004年に機密提供を認めパキスタン政府は博士を自宅軟禁とします。しかし、それは国際社会へ向けてのポーズにすぎず、5年後には大統領の恩赦により、晴れて自由の身となりました。

また、イランの動向も気になります。2020年11月、同国の核科学者モフセン・ファクリザデ博士がテヘラン郊外を車で移動中に

＊2【広島・長崎に足を運んだ海外著名人】＝バラク・オバマ、チェ・ゲバラ、フィデル・カストロ、オリバー・ストーン、ジミー・ペイジなどがいる

暗殺されました。犯行声明は出されていませんが、イスラエルの関与が噂されており、それが事実であれば、同博士の研究がイスラエルの脅威と成り得る段階まで進んでいたと考えられます。

◉

「理想と現実、この溝があまりにも深い……」

国連先生は「究極の武器ゼロ運動」のこれからを思い、深くため息をついた。"究極の武器"を持つ生徒は「使えば互いが傷つくから使わない」と主張する。だが、それを保証できるのか？　誰かが使えば、その主張はオセロのごとく次々と裏返ってしまう。そして国連先生のその懸念は、翌年、現実味を帯びるのだった……。

核兵器保有国の弾頭数

ロシア 5977
アメリカ 5428
イギリス 225
フランス 290
北朝鮮 20
イスラエル 90
パキスタン 165
中国 350
インド 160

※ストックホルム国際平和研究所の
2022年のデータを参考に作成

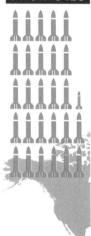

2021年

＊3【『ニューズウィーク日本版』の記事補足】＝印パの核戦争により、世界的に植物の生育が20～35％、海洋の生産性が5～15％低下すると予測している

ロシアのウクライナ侵攻と核兵器使用の危機

泥沼化する露西亜と烏克蘭の喧嘩
暗雲漂う世界学校の秩序と未来

その夜、露西亜くんはベッドのなかで長年の野望に燃えていた。「もう一度、亜米利加に対抗できる大きな存在になってやる！」

それは蘇聯邦のような複数の生徒によるものではなく、かつての子分の一部をひれ伏させ自分ひとりが大きくなる。そして周囲を再度、息のかかった子分で固めるというものだった。

だが、かつての子分の烏克蘭くんが言うことを聞かない。露西亜くんは腹をくくった。明日、一発ガツンとかましてやる！

夜も更け、もうすぐ2022年2月24日になろうとしていた……。

ロシア 一発脅せばすぐ終わる！ 本当にそう思っていた……

2000年に大統領に就任したプーチンが、どんな国づくりを考えてきたのか？　もちろん、それは本人にしかわかりませんが、推測はできます。

中央集権国家の再興、そして強いロシアの復活──。

旧ソ連構成国の領土の一部を我が物にして、国土はミニ・ソ連ほど。そして、旧ソ連諸国をかつての東側陣営の衛星国のように扱い、自国を中心とした陣営を固める。事実、ロシアは旧ソ連諸国に対し、その国の親ロシア的な分離独立派を支援して地域紛争に介入しています。2008年のジョージア侵攻、2014年のウクライナ領のクリミア半島の併合、ロシア系住民の多いウクライナ東部の親ロシア勢力への支援、2022年2月のウクライナ侵攻です。

また、2014年5月にはアメリカとEUに対抗するために、ユー

● 2022年の日本の出来事＝安倍晋三元首相、銃撃され死亡。旧統一教会問題、底なしの様相。将棋の藤井聡太10代初の5冠。知床沖で観光船が沈没

ラシア経済同盟（EEU）[*1] を設立していますが、ウクライナの取り込みに失敗し、順調に発展しているとは言えません。そのウクライナの顔はEUのほうを向き、しかも、NATO加盟を匂わせている……。ロシアの野望成就において、ウクライナは最大のネックだったのです。

　しかも、ウクライナは大穀倉地帯で海路を通じても欧州と直接つながっています。さらに、ロシア史が始まった地域でもあるから、ロシアにとって国防上の問題を抜きにしても、手放したくないところなのでしょう。

　ウクライナの姿勢を変えるためにロシアは圧力をかけます。ロシアにとってウクライナは「永遠の弟分」なので、対等な関係などあり得ません。しかし、ウクライナにはそんな一方的な理屈に付き合う気持はなし。政治経験が皆無のウクライナの新大統領は強気でした。

　そこで、懲らしめの一撃を加えてやろうというのが、2022年2月の侵攻でした。懲らしめだから、ポーズは大げさでも、長期化も泥沼化もしないはずだったのですが……。

◉

「お前は俺の子分だ。だから俺の言うとおりにしろ！」
「あんたがボス面できる時代は終わったんだよ！」

　露西亜くんと烏克蘭くんの考え方はまったくかみ合わず、喧嘩は長期戦の様相を呈した。もはや落としどころが見つからず。烏克蘭くんの支援に回った亜米利加くんや、独逸さんら欧州クラスの生徒も、この泥沼の戦いに引きずり込まれていった……。

欧州クラス 喧嘩が長引けば僕らも困る。だが、ロシアは許せない！

　ウクライナの善戦は、アメリカのバイデン政権にとっても想定外でした。当初は非難声明を出すだけでしたが、ウクライナが思わぬ善戦を見せ、ウクライナ支持の国際世論が高まりを見せるに及んで消極姿勢ではいられなくなり、対決姿勢へと転じたのです。

*1【ユーラシア経済同盟】＝2010年発足の関税同盟をさらに強化した経済同盟。ロシア、ベラルーシ、カザフスタン、アルメニア、キルギスが加盟している

EU諸国もロシアのエネルギー資源に依存していたことから、決定的な対決を望んではいませんでした。しかし、EUとNATOの拡大を同時並行で進めてきた関係上、ここでウクライナを見捨てるわけにはいかず、ウクライナを全面支援する形となったのです。また、かつてドイツのナチ政権を増長させた宥和政策[＊2]が、頭をよぎったとも考えられます。

　予想通り、EU諸国はエネルギー危機と食糧危機に見舞われます。エネルギーはロシア、小麦はウクライナへの依存度が非常に高く、黒海の海上輸送がストップしてしまうと、小麦の絶対的な不足は避けられませんでした。

　また、ロシアからの原油と天然ガスの供給がストップすれば、電力資源を他から調達するしかありませんが、短期間での設備の総入れ替えは不可能です。ドイツが目指す脱炭素社会のロードマップにも大きな影響が出そうですが、今回の侵攻に関しては、ロシアへの譲歩は許されないとする空気がドイツ国内では支配的です。

　ロシアと国境を接する国にとっては、ウクライナで起きていることは他人事ではなく、長年中立を掲げてきたスウェーデンとフィンランドのNATO加盟も決定的です。バルト3国[＊3]はいずれも徴兵制を導入しました。少なくともEU諸国では、プーチンとヒトラーの姿が多分に重なり、反プーチンの一点では、かなり足並みが揃っているようです。

　国連安保理の常任理事国にはロシアが名を連ねていますから、有効な採択がなされる望みはゼロです。問題の解決には、当事者双方が停戦に応じるか、どちらかが白旗を上げるしかありません。

　海外資産の凍結、予備役30万人を対象とした部分動員令が出された点などから、ロシア軍の劣勢を報じるメディアが多数を占めます。しかし、西側からの情報だけで形勢を判断してよいものか、悩ましいところです。

　また、9月30日にプーチンがウクライナ東部4州の併合を宣言したのも、苦し紛れのパフォーマンスとする見方が濃厚ですが、

＊2【宥和政策】＝第二次世界大戦前に英仏がナチスドイツに対してとった妥協に基づく外交政策。結果としてナチスの侵略拡大を認めることになった

いかなる結果になるか、早急な見立ては慎みたいところです。

　今回の侵攻が終息を見たあと、国連や国連安保理の改革が緊急の課題となるでしょう。しかし、大国の利害が絡む問題だけに、早期に結論が出る可能性は低く、具体案がない状況では、今世紀中の課題とすることで事実上の幕引きとなるかもしれません。

◉

　国連先生は露西亜くんと烏克蘭くんの喧嘩を止められない、自分の指導力と影響力の無さを歯がゆく思った。だが、露西亜くんが"究極の武器"を使うことは絶対に避けねばならない。いわんや、この喧嘩が、世界学校での3度目の全校生徒を巻き込んだ大喧嘩につながることは、世界学校が破滅しかねない事態に陥ることは、絶対に避けねばならない……。

ロシアによるウクライナとジョージアへの侵攻

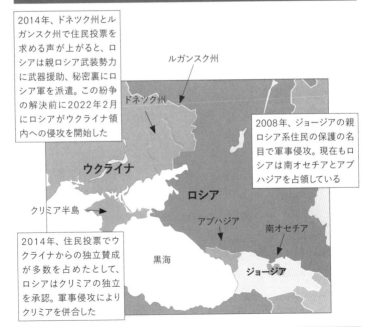

2014年、ドネツク州とルガンスク州で住民投票を求める声が上がると、ロシアは親ロシア武装勢力に武器援助、秘密裏にロシア軍を派遣。この紛争の解決前に2022年2月にロシアがウクライナ領内への侵攻を開始した

ルガンスク州

ドネツク州

ウクライナ

クリミア半島

2014年、住民投票でウクライナからの独立賛成が多数を占めたとして、ロシアはクリミアの独立を承認。軍事侵攻によりクリミアを併合した

黒海

2008年、ジョージアの親ロシア系住民の保護の名目で軍事侵攻。現在もロシアは南オセチアとアブハジアを占領している

ロシア

アブハジア

南オセチア

ジョージア

2022年

*3【バルト3国の徴兵制】＝リトアニアとエストニアは2014年に徴兵制を復活させており、ラトビアでは2022年7月に徴兵制の導入が決まった

過去から派生した現在、
現在から派生するであろう未来。
それが何かを考えて、
世界を眺めてみよう──

　1988年8月、日本がバブル景気に沸く頃、私は当時の西ドイツに住んでいて、デュッセルドルフの日本料理店で働いていました。

　この年の3月に、ソ連邦のゴルバチョフ書記長が「新ベオグラード宣言」を発します。それまでの「ブレジネフ・ドクトリン」、つまり、ソ連が東欧諸国の主権を制限してもかまわないという方針を改め、「新思考外交」に転じたのです。

　翌1989年の暮れ、私はベルリンのブランデンブルク門をくぐり、すでに外されていた「ベルリンの壁」をすり抜けました。私がベルリンの壁を前にしていた、まさにその頃、地中海のマルタ島で米ソ冷戦の終結が宣言されます。

　そして、1990年10月3日の深夜、私はベルリン旧帝国議会前でドイツ統一の式典を眺めていました。それは冷気と、そこかしこで打ち上げられる花火に直撃されないか、そんな怖れを気にしながらの見物でした。

　1991年8月17日にモスクワで乗車したタクシーは、ゴルバチョフを監禁するという共産党保守派のクーデターを、まさに、これから起こそうという戦車群とすれ違いました。また、その年12月のソ連邦崩壊のニュースは、シリアでパルミラからダマスクス

へ向かう、長距離バスのラジオで聞いたのです。

　このように、新ベオグラード宣言、ベルリンの壁崩壊、ドイツ統一という、一連の流れ（それは世界史全体からしたら、わずかな時間ですが）を目の当たりにし、肌で感じた私は、長距離バスに揺られながら漠然とこう思ったのでした。

「世界で起きていることは、有機的につながっているのだな」

　すなわち、多くの出来事がそれぞれバラバラではなく、まるで、次なる事象への意志をもったビリヤードのボールのように、互いに結びつき影響を与え合い、新たな出来事を派生させ、歴史を刻んでいる……そう思ったのでした。

◉

　その後の世界の動きに目を向けると、有機的につながっていることが見えてきます。

　1989年の6月に中国で起きた第二次天安門事件で、多数の民主化運動参加者が死傷します。冷戦の決着をつけたアメリカは、共産主義に代わり人権侵害を敵視するようになり、アメリカと中国の関係に暗雲が漂い始めます。これも、同年に冷戦の終結があったゆえの展開でした。

　さらに、冷戦勝利に酔うアメリカは1991年の湾岸戦争で、イラクのサダム・フセインをクウェートから撤退させます。しかし、イラク対策にと、サウジアラビアの要請でアラビア半島に軍を展開し続けたことがムスリムの反感を買い、2001年の「9.11テロ」につながったとされています。

　しかも、アメリカは「9.11テロ」での恐怖心を「予防的先制」という無謀な論理に昇華させ、アフガニスタン戦争、そしてイラク戦争を敢行します。では、そこから何が派生したのか？

　後者の結果、反イスラエルのバアス党フセイン政権がイラクから葬り去られましたが、"窓際"に追いやられた同党やスンニ派の人材をリクルートした輩が、2014年にISIL（アイシル）として、突如、イラクに出現したのです。

このように、冷戦の終結が、その後の米中の関係悪化、湾岸戦争、9.11テロ、イラク戦争、ISILの出現へと派生しました。逆に言えば、「もし」、1989年に冷戦が終結していなければ、世界の様相は、現在とはずいぶんと変わっていたことでしょう。

◉

　世界史を読み解く面白さは、このように多くの出来事を有機的に見つめ、つなげて考えるところにあります。しかし、そこで起きることの大半は、残念ながら悲劇的なことです。
　たとえば、2022年11月現在、世界はロシアによるウクライナ侵攻の行方に動揺していますが、この侵攻の予兆は、すでに2014年にありました。ロシアによるクリミア併合です。
　その前年、当時のオバマ米大統領が「世界の警察官」を辞めると宣言していました。「9.11」の衝撃と、2008年のリーマン・ショックでアメリカは疲弊し、他国への介入を控えるという外交路線に切り替えたのです。
　その足元を見たのか、ロシアのプーチン大統領はクリミア併合を強行します。「もし」、2014年のクリミア併合に対し、アメリカおよび国際社会がもっと断固たる態度をとっていたら、2022年のウクライナ侵攻は、起きなかったのかもしれません。
　そして近い将来、2022年のロシアによるウクライナ侵攻が「もし」なかったなら、その侵攻を有効手段と判断しての台湾有事、つまり中国による台湾併合と、それにともなう日本有事もなかったのに……と、悔やむ日が訪れるかもしれません。
　過去と現在と、現在と未来。そこに派生したもの、するであろうものは何かと考え、現在、起きていることを見つめる。皆さんも、そういった意識を持って物事を見てはいかがでしょうか？　もしかすると、今、目に映るものと違う面が見えてくるかもしれません。

　2022年11月

　　　　　　　　　　　　　　　　　　　村山秀太郎

主な参考文献

『ポーランド・ウクライナ・バルト史
新版世界各国史20』
伊東孝之・井内敏夫・中井和夫編／
山川出版社

『バルカン史　新版世界各国史18』
柴宜弘編／山川出版社

『ロシア史　新版世界各国史22』
和田春樹編／山川出版社

『中国史5　清末～現在　世界歴史体系』
松丸道雄ほか編／山川出版社

『アメリカの歴史を知るための63章　第3版』
富田虎男・鵜月裕典・佐藤円編著／
明石書店

『アメリカ黒人の歴史
奴隷貿易からオバマ大統領まで』
上杉忍著／中公新書

『アメリカと宗教 保守化と政治化のゆくえ』
堀内一史著／中公新書

『アメリカの宗教右派』
飯山雅史著／中公新書ラクレ

『アメリカの原理主義』
河野博子著／集英社新書

『多民族の国アメリカ 移民たちの歴史』
ナンシー・クリーン著、明石紀雄監修／創元社

『アフガニスタン 戦乱の現代史』
渡辺光一著／岩波新書

『アフガニスタンを知るための70章』
前田耕作・山内和也編著／明石書店

『アフガン25年戦争』
遠藤義雄著／平凡社新書

『タリバン台頭
混迷のアフガニスタン現代史』
青木健太著／岩波新書

『新版 オサマ・ビンラディンの生涯と聖戦』
保坂修司著／朝日選書

『イラクとアメリカ』
酒井啓子著／岩波新書

『原理主義の潮流 ムスリム同胞団
イスラームを知る10』
横田貴之著／山川出版社

『現代インドを知るための60章』
広瀬崇子ほか著／明石書店

『インドを知る事典』
山下博司・岡光信子著／東京堂出版

『ヒンドゥー・ナショナリズム 印パ緊張の背景』
中島岳志著／中央公論新社

『グルジア現代史
ユーラシア・ブックレット131』
前田弘毅著／東洋書店

『スリランカと民族
シンハラ・ナショナリズムの形成と
マイノリティ集団』
川島耕司著／明石書店

『トルコ近現代史
イスラム国家から国民国家へ』
新井政美著／みすず書房

『フランス7つの謎』
小田中直樹著／文春新書

『ライシテから読む現代フランス
政治と宗教のいま』
伊達聖伸著／岩波新書

『物語ビルマの歴史 王朝時代から現代まで』
根本敬著／中公新書

『ユーゴスラヴィア現代史 新版』
柴宜弘著／岩波新書

『ロシアの論理 復活した大国は何を目指すか』
武田善憲著／中公新書

『現代ロシアを見る眼
「プーチンの十年」の衝撃』
木村汎・袴田茂樹・山内聡彦著／NHK出版

著者・**島崎晋**

……しまざき・すすむ……

1963年東京都生まれ。立教大学文学部卒。旅行代理店、雑誌編集者を経てフリーに。近著に『いっきにわかる! 世界史のミカタ』(辰巳出版)、『ロシアの歴史 この大国は何を望んでいるのか?』(じっぴコンパクト新書)、『世界は「経済危機」をどう乗り越えたか』(青春文庫)、『覇権の歴史を見れば、世界がわかる 争奪と興亡の2000年史』(ウェッジ)などがある

監修・**村山秀太郎**

……むらやま・ひでたろう……

1963年神奈川県生まれ。世界史塾バロンドール主宰、リクルート「スタディサプリ」世界史講師。早稲田大学商学部卒、同大学院社会科学研究科修了(社会思想史専攻)。16歳で単身欧州鉄道旅、19歳でサハラ砂漠縦断。以後、世界旅100余国。著書に『これ1冊! 世界各国史』『これ1冊! 世界文化史』(アーク出版)、『「世界史と日本史」同時授業』(共著、アーク出版)『絵本のようにめくる世界遺産の物語』(共著、昭文社)などがある

ブックデザイン:長久雅行
編集:川﨑敦文

イッキにわかる! 国際情勢
もし世界が193人の学校だったら
2023年1月20日 初版発行

著者 島崎晋
監修 村山秀太郎
発行所 株式会社二見書房
    東京都千代田区神田三崎町2-18-11
    電話 03(3515)2311[営業]
       03(3515)2313[編集]
    振替 00170-4-2639
印刷 株式会社 堀内印刷所
製本 株式会社 村上製本所

落丁・乱丁本はお取替えいたします。
定価は、カバーに表示してあります。

©Susumu Shimazaki, Hidetaro Murayama 2022, Printed in Japan
ISBN978-4-576-22198-4
https://www.futami.co.jp/